Christine Nöstlinger
»Pfui Spinne!«

Christine Nöstlinger

»Pfui Spinne!«

Roman

Christine Nöstlinger, geboren 1936, studierte an der Kunstakademie und lebt in Wien. Sie veröffentlichte Lyrik, Mundarttexte, Romane, Bilderbücher und Kinderbücher. Im Programm Beltz & Gelberg erschienen u.a. *Die Kinder aus dem Kinderkeller, Wir pfeifen auf den Gurkenkönig* (Deutscher Jugendbuchpreis), *Maikäfer flieg!* (Buxtehuder Bulle, Holländischer Jugendbuchpreis »Silberne Feder«), *Zwei Wochen im Mai, Andreas oder Die unteren sieben Achtel des Eisbergs, Der Hund kommt!* (Österreichischer Staatspreis) und *Der neue Pinocchio.* In der Reihe Broschur erschien außerdem der Roman *Stundenplan.* 1972 erhielt sie den Friedrich-Bödecker-Preis für Kinderliteratur, und 1984 wurde sie mit der bedeutendsten Auszeichnung auf dem Gebiet der Kinder- und Jugendliteratur geehrt, mit der Hans-Christian-Andersen-Medaille.

5. Auflage, 24.–28. Tsd., 1991

Programm Beltz & Gelberg, Weinheim

Einband von Wolfgang Rudelius
Gesamtherstellung Druckhaus Beltz, 6944 Hemsbach
Printed in Germany
ISBN 3 407 80627 2

15. Juni

Dick und weiß und weich sitzt die Frau im braunen Plüsch. Stundenlang sitzt sie schon. Kugeläugig schaut sie dem Fernsehkoch zu. Ihr rechter Zeigefinger steckt in einem Nasenloch. Ihre Zungenspitze gleitet zärtlich über die Oberlippe, von einem Mundwinkel zum anderen und wieder zurück. Der Fernsehkoch klopft behutsam auf Fleischscheiben herum. Vertraulich klärt er sie über den innigen Zusammenhang von zu früher Salzzugabe und Saftverlust auf. Sie holt die Zunge in den Mund zurück. »Soll ich das morgen kochen?« fragt sie. »Das schaut doch schön aus – oder?«
Rohes Fleisch schaut nie schön aus. Rohes Fleisch ist ekelhaft. Der Fernsehapparat hat einen Blaustich. Der Blaustich macht das Fleisch noch grauslicher.
»Pfui Spinne! Was kocht denn die Tante überhaupt?«
Die Frau nimmt den Finger aus dem Nasenloch, schleckt ihn ab und zieht, wegen der anstrengenden Gewichtsverlagerung ächzend, eine Zeitung zwischen Popo und braunem Plüsch hervor. »Der ist doch keine Tante«, sagt sie, »der ist ein anerkannter Küchenchef!« Sie blättert die Zeitung durch. »Und was der kocht, das heißt italienisch – irgendwie mit ›Scaloopi‹ oder so – das muß im Fernsehprogramm drin stehen!« Sie legt seufzend die Zeitung weg. »Das Programm ist futsch – das muß wer rausgetan haben, grad vorher war es noch drinnen!«
Christine, inmitten von dreitausend Puzzleteilen auf dem Teppich hockend, schaut entrüstet. Grad vorher noch drinnen? Wo die Frau seit Stunden auf der Zeitung sitzt! Da hätte man es ihr ja unter dem Arsch rausziehen müssen!
Christine steht auf, geht zum Papierkorb und holt ein Fernsehprogramm heraus. »Heute mittag hast es weggeworfen. Es war dir beim Tischdecken im Weg.«

»Das alte Programm hab ich weggeworfen, das wo der häßliche Hund vorn drauf war.«
Auf dem Fernsehprogramm, das Christine der Frau in den Schoß wirft, ist ein häßlicher Hund. Es ist trotzdem das Programm dieser Woche. »Auf dem alten Programm, da war der Jürgens drauf.«
Die Frau schaut vergrämt auf das zerknitterte Programm in ihrem Schoß. Mütter sind fürs Wegwerfen zuständig, müssen Wegwerf-Spezialisten sein, weil Wegwerf-Spezialisten Ordnungserhalter sind, weil ohne Ordnung jede Familie zugrunde geht. Fehlentscheidungen beim Wegwerfen darf man nicht auf sich sitzen lassen, sonst heißt es gleich bei jedem Wisch, den sie verschlampt haben: Das hast sicher *du* weggeworfen! »Nein, nein, Christine! Auf dem alten Programm war auch ein Hund. Ein anderer. Deswegen hab ich das verwechselt.«
Es ist wirklich egal, auf welchen verdammten Fernsehprogrammen sich Hunde und Schauspielerköpfe herumtreiben, aber es ist nicht egal, daß die Frau dauernd recht haben will. Sicher, alle Mütter haben so eine Art und Grundhaltung, doch bei der Frau ist das zum Wildwerden ausgeprägt und zum Lautschreien angehäuft. Das ist nicht mehr normal. Das muß behandelt werden! Christine beugt sich über den Papierkorb, kramt, sortiert Zeitungen, bekommt Finger voll Zigarettenasche und findet die Programmseite mit dem Jürgens-Kopf. »Hier, bitte!« Grinsend hält sie der Frau das Programm hin. »Da hast deinen andern Hund.«
Die Frau schaut zusammengekniffenen Auges den Jürgenskopf an, linst auf das Datum über der Glatze und spricht rügend: »Christine, du hast schmutzige Nägel! Lauf doch nicht so herum. Oder lackier sie wenigstens nicht! Lackierte Nägel mit Dreck sind das Ärgste!«
»Frau, jetzt lenk nicht ab! Ist das ein Hund oder ist das der Jürgens?« Christine brüllt es laut und wedelt mit der Zeitung vor dem Gesicht der Mutter. Die Frau schlägt nach der Zeitung

wie nach einer Riesenhummel, schüttelt den Kopf, erstaunt ob soviel Emotion, und tut, als hätte sie nie das geringste Interesse an der Sache gehabt, als käme nur eine neurotische Fünfzehnjährige auf den absurden Gedanken, über Titelseiten von Fernsehprogrammen zu streiten. Ihr aber, alt und normal, fällt Klügeres ein: »Wenn du schon dabei bist, Kind, kannst du gleich den Papierkorb ausleeren!«
»Der ist überhaupt nicht voll!« Zum Beweis tritt Christine mit einem Fuß in den Korb und stampft die obere Hälfte leer. Mit der Frau ist weder zu reden noch zu streiten. Sie kämpft unfair. Wenn sie nicht weiter weiß, reduziert sie einen auf Erziehungsmaterial. Christine gibt dem Korb einen Tritt, er kippt und kullert über den Teppich, Papierkugeln und Zigarettenstummel hüpfen heraus. Christine stoppt den Korb, bevor er ihre Puzzleteile erreicht, dann holt sie mit einem Fuß weit aus und gibt ihm wieder einen Tritt. Einen kräftigen, gezielten diesmal. Der Papierkorb saust quer durch das Zimmer, über das Puzzle weg, Asche weht heraus, Zeitungsblätter flattern hinterdrein. Der Stehlampenfuß bremst den Korb ab. Die Stehlampe schwankt, und der große Seidenschirm zittert an allen Fransen. Die Frau im braunen Plüsch, dicht neben der Lampe, duckt sich ein bißchen und erwartet geduckt das totale Kippen der Lampe, doch die Lampe pendelt sich wieder ein, und die Frau richtet sich auf und schaut wieder zum Fernsehkoch hin. Keinen Blick mehr wendet sie auf den verschmutzten Teppich, keinen auf die Tochter. Im letzten Eltern-Journal haben sie diese Ignorier-Methode gegen tobende Kleinkinder empfohlen. Warum sollte sie nicht auch für Pubertäts-Anfälle geeignet sein? Auf alle Fälle tut diese Methode dem eigenen Körper wohl. Aufstehen-losbrüllen-hinterherjagen – nichts als unbedankte Erziehungsmühsal! Wo sie doch überhaupt nicht gern steht und noch weniger geht. Die Beine sind das Schwächste an der Frau. Zarte Fesseln hat sie. Dünne Waden. Sechzig Kilo hat die Frau in den letzten sechzehn Jahren zugenommen. Kein

einziges Gramm hat sich knieabwärts festgesetzt. Wer hundertneun Kilo auf solchen Unterschenkeln herumtragen muß, wird bescheiden, wenn es um Erziehung geht; denn Erziehung, das hat die Frau eingesehen, heißt: beweglich sein! Bist du nicht beweglich, rennen sie davon und kommen, auch wenn du hinter ihnen herbrüllst, nicht zurück, um sich Ohrfeigen und Ermahnungen zu holen. Sie nehmen einen nicht ernst. Vom braunen Plüsch aus läßt sich da wirklich kaum etwas machen. Aber ein Versuch soll drin sein! Den Blick starr auf den soßerührenden Koch gerichtet, sagt die Frau: »Christine, putz sofort den Dreck vom Teppich!«
Christine geht zum Fenster und zieht den Vorhang weg. Christine macht alle drei Fensterflügel auf. Es regnet. Feuchte, kalte Luft kommt ins Zimmer.
Die Frau verkriecht sich im braunen Plüsch. »Mach sofort das Fenster zu! Bist du verrückt?« Wenn es um ihren Leib und die Gänsehaut auf ihm geht, kommt Emotion in die Frau. Dem Leib darf kein Schaden zugefügt werden.
Tief drinnen in der Frau protestiert etwas dagegen. In allzu viele Wörter umsetzen mag sie den Protest nicht, das wäre zu anstrengend, aber ihre Augen werden große, dunkle Wutkugeln, die aus den Augenhöhlen herauswollen, um auf Christine loszuspringen.
Christine lehnt sich an die Wand neben dem Fenster und verschränkt die Arme über der Brust. Wenn die Frau nicht einmal von der kalten Zugluft aus dem Plüsch hochgetrieben wird, dann hilft nichts mehr, dann kann man gleich einen Riesenplastiksack über sie und den braunen Lehnstuhl stülpen, einen mit einer schwarzumrandeten Karte dran: *totgesessen-totgefressen!*
Die dicken Brüste der Frau heben sich, sie holt Luft und schreit: »Berti-Berti!«
»Verdammt! Ersauft wer? Oder wie?« Berti kommt zur Wohnzimmertür und zieht seine Hose hoch. Draußen rauscht die

Wasserspülung. »Kann man nicht einmal mehr in Ruhe auf dem Scheißhaus hocken?« Berti schaut interessiert auf den versauten Teppich.
»Berti, sag deiner Schwester, daß sie sich wie ein normaler Mensch aufführen soll!«
»Wieso ich?« Berti kriegt Entrüstungsfalten auf der Stirn.
Die Frau klagt: »Weil sie auf mich nicht hört! Sag ihr, daß sie augenblicklich das Fenster schließt und den Teppich absaugt!«
»Was geht denn das mich an? Macht doch eure Streitereien allein aus!«
»Du bist ihr großer Bruder!« Die Stimme der Frau klingt weinerlich. Ihre Ohren fangen zu wackeln an. Das ist ihre Spezialität. Knapp bevor sie zu heulen beginnt, wackelt sie mit den Ohren. »Immer drückst du dich, Berti! Schließlich bist du erwachsen. Wir sind eine Familie. Du hast auch Verantwortung!«
»Arschweiber«, murmelt Berti. Er verschwindet, es poltert im Vorzimmer, dann kommt er mit dem Staubsauger zurück. Er steckt ihn an. »Sowas von Mutter-Tochter-Konflikt ist ja schon pervers!« Er sammelt die Zeitungen ein. Murmelt dabei vor sich hin. Der Staubsaugerlärm macht es unverständlich.
»Tritt mir ja nicht ins Puzzle rein!« ruft Christine.
Berti wirft ihr einen verbitterten Blick zu, aber die Puzzleteile umgeht er vorsichtig. Berti saugt den Teppich blitzblank, stopft alle Zeitungen in den Papierkorb zurück, schaltet den Staubsauger ab und wickelt ihm das Kabel eng um den Leib. Berti ist immer für Ordnung. Sein Ordnungssinn verläßt ihn nicht, auch wenn er wütend ist.
Berti geht zum Fenster und will es zumachen.
»Offenlassen«, ruft Christine. »Die Frau braucht frische Luft!«
Berti macht das Fenster zu. »Sag nicht immer Frau zu ihr, das mag sie nicht!« Berti packt den Staubsauger am Henkel und verläßt das Wohnzimmer. Im Vorzimmer poltert es wieder, dann fällt die Klotür ins Schloß. Was Berti einmal angefangen hat, das führt er zu Ende!

Christine starrt zum Lehnstuhl hin und denkt: Aus diesem fetten Bauch bin ich herausgekrochen! Pfui Spinne, das muß ein fürchterlicher Weg gewesen sein! Sie nimmt die Bonbonschachtel von der Anrichte. Nougatkugeln sind drin. Sie geht zum Lehnstuhl hin, legt der Frau die Schachtel in den Schoß und sagt: »Da, iß schön!« Und die Frau fängt tatsächlich zu essen an.

16. Juni

Christine liegt auf ihrem Bett, sie liegt auf dem Rücken, drei Polster hat sie unter den Kopf gestopft. Durch die Brille aus Fensterglas, die keine andere Funktion hat, als den Minibuckel auf der Nase zu verdecken, betrachtet sie ihren Bruder, der neben dem Bett auf dem Kamelsattel hockt.
»Ja, ja, Knabe Bruder«, sagt sie, »du hast ja so recht!«
»Ich hab ja noch gar nichts gesagt.« Berti schaut empört und zupft Fäden aus den Quasten, die vom Sattel baumeln, und ordnet sie nebeneinander zu einer exakten Reihe am Sattelrand. Sogar auf gleiche Abstände zwischen den Fäden achtet er.
Er braucht wirklich nichts zu sagen! Christine weiß, was er sagen will: daß sie sich zur Frau nicht edel verhält, daß sie ungerecht ist, daß die Frau arm dran ist.
»Sie ist doch arm dran, Christine«, sagt Berti.
Christine nimmt die Brille von der Nase. Die Gläser sind zu dreckig, um den Bruder genau sehen zu können. »Ich hab ja schon gesagt, daß du recht hast!«
Berti verlängert seine Fadenreihe, indem er die Fadenabstände verdoppelt.
Sicher hat er recht. Die Frau ist arm dran. Aber die Frau ist auch böse! Und darum ist Christine arm dran. Armsein und Bössein sind relative Zustände, abhängig voneinander. Es

kommt auf den Blickwinkel an, unter dem man die Sache sieht.
»Sie leidet unter dir«, sagt Berti.
»Ich leide unter ihr«, sagt Christine.
Berti seufzt, meint: So-kommen-wir-doch-nicht-weiter, sei-doch-einsichtig, Mädchen-gib-dir-doch-menschliche-Mühe!
Christine putzt die Brillengläser mit dem Leintuchzipfel, prüft sie auf Klarheit, schleckt über die Gläser, ribbelt wieder mit dem Leintuchzipfel. »Knabe Bruder«, sagt sie, »mir ist ein Rätsel, wie du die Frau so gelassen erträgst. Wirst du denn überhaupt nicht wild, wenn sie da vor dem Fernseher hockt und hockt und den dicken Arsch nicht vom Fleck rührt?«
Berti zupft neue Wollfäden aus. »Mädchen, du übertreibst ja. Am Vormittag ist doch gar kein Fernsehen.«
»Doch! Am-dam-des-Kinderstund! Schaut sie sich eisern an!«
»Aber sie kocht auch. Und macht sauber.«
Grandios! Sie kocht! Sie macht sauber! Fünfmal die Woche kommt die Swoboda aufräumen, einkaufen schickt sie die Hausmeisterin, und bügeln tut die Nachbarin! Aber das braucht man Knaben Bruder nicht zu sagen, das weiß er ja. Wahrscheinlich ist es überhaupt zuviel verlangt, daß er wissen soll, was ihn vor Aggressionen gegen die Mutter-Frau schützt. Liebe könnte ein Schutz sein. Eine ausgewogen-feinabgestimmte Charaktermischung auch. Oder Desinteresse. Was es auch sein mag, ihr Problem ist es nicht! Doch wenn Knabe Bruder schon bei ihr hockt und den Kamelsattel kahl rupft, kann man ihm ja gleich das akute Problem servieren.
»Hör zu«, sagt Christine, »mir geht's um ganz was anderes. Ich will auf keinen Fall mitfahren. Und ich schwör dir, ich fahr auch nicht.«
Berti schaut verwirrt.
Christine sagt: »Ich will nämlich endlich wieder ans Meer. Ich hab ja keine hundert Kilo, mein Fett zerrinnt ja nicht in Griechenland. Und ich scheiß auf Bad Aussee. Pfui Spinne! Ich hab die Loden-Jogeln bis hier!« Sie schlägt sich mit der

Handkante gegen den Hals. »Ich fahr nach Griechenland!«
»Du? Du ganz allein?« Berti fallen die Wollfäden aus der Hand.
Christine schüttelt den Kopf.
»Du, mit dem Hasemann vielleicht?«
Christine nickt.
»Mädchen, das erlaubt dir der Alte nicht. Der flippt aus, wenn du ihm den Vorschlag nur unterbreitest.« Berti sagt es voll tiefer Überzeugung.
»Darum, Knabe Bruder, berede ich es ja mit dir.«
Berti bückt sich, sammelt die Wollfäden auf und hört verstört seiner Schwester zu, die ihm einen Irrsinnsplan vorträgt: Knabe Bruder, meint sie, habe die Verpflichtung, ihr zu helfen. Und die Möglichkeit auch. Da er für drei Wochen nach Italien fahren will, braucht er nichts anderes zu tun, als sie mitzunehmen. Nicht wirklich. Nur vorgetäuscht. »Und bei der Autobahnausfahrt trennen sich unsere Wege, verstehst?«
Berti bestaunt die Schwester wie das neunte Weltwunder.
Christine redet weiter auf ihn ein, läßt ihn nicht zu Wort kommen. »Unterbrich mich nicht«, schreit sie, sooft er den Mund nur auftut. Völlig problemlos stellt sie die Sache dar. Man verabschiedet sich bei der Autobahnausfahrt und trifft sich drei Wochen später ebenda wieder. Sie wird im voraus drei artige Brieflein verfassen: *Es geht mir gut, das Wetter ist schön, Berti ist lieb.* Die Briefe wird Berti zusammen mit seinen eigenen Briefen nach Hause schicken. Was soll da schief laufen? Nichts! Ganz im Gegenteil! Schon im Interesse der Frau muß er das machen. Damit die Frau heil aus dem Bad-Ausseer-Urlaub zurückkommt. »Denn das garantier ich dir! Wenn ich mit der Frau heuer wieder einen Monat lang in Aussee im Regen dunsten muß, dann kommt die Scheiße zum Dampfen, aber ehrlich!« Mord und Totschlag sind dann einzukalkulieren. Nur eine große örtliche Entfernung zwischen Mutter und Tochter ist, sowohl für die Mutter als auch für die Tochter, eine

reale Chance, den Sommer zu überleben. Freilich, um der Frau zu entkommen, könnte Christine auch in ein englisches Feriencamp abfliegen. Die halbe Klasse entledigt sich auf diese gelehrsame Art der Eltern. Aber da denkt Christine gar nicht dran! »Danke, Knabe Bruder! Kaltes Meer, grausames Fressen, nix wie Regen, und alles multipliziert mit drei einheimischen Aufsichtsblödeln! Pfui Spinne!« Christine braucht blaues Meer und gleichfarbigen Himmel, Olivenhaine, Hasihimself und sonst niemanden, Muschelfelsen, Melonenfelder und sonst nichts. Und Knabe Bruder möge sie ja nicht für zu jung halten. Sie ist fünfzehn vorbei und hat Anspruch auf einen Zipfel Urlaubsfreiheit. »Spiel nicht Gouvernante. Komm du mir doch nicht mit Moral!« Schließlich ist Knabe Bruder kaum fünf Jahre älter als Christine und hinterläßt, wenn er nach Italien fährt, zwei gramgebeugte, voneinander nichts ahnende Zweierbeziehungen, um sich in Lerici mit der dritten Zweierbeziehung zu treffen, die sich für vierzehn Tage von Mann und Kind losgesagt hat. »Wenn ich in den nächsten fünf Jahren bis zu deinem erotisch-moralischen Bewußtseinsstand vordringen will, dann muß ich ja wohl einmal damit anfangen, oder?«
Berti erhebt sich seufzend vom Kamelsattel. Er sammelt alle Wollfäden ein, legt sie in den Aschenbecher, zündet ein Streichholz an und hält es an den Fadenhaufen. Die Wollfäden verglosen stinkend. »Mädchen, Mädchen, das muß ich mir noch gut überlegen.« Berti spuckt in den Aschenbecher. Es zischt und qualmt. »So einfach sag ich da nicht ja und amen!« Berti geht aus dem Zimmer, bekümmert und gebeugt, als hätte ihm Christine drei Säcke Hafer auf den Buckel geladen.

19. Juni

Johannes Haselmeier, das Hasi, steht im Badezimmer und weint. Bitter enttäuscht und maßlos vergrämt ist er. Die neuen Kontaktlinsen machen ihn heulen. Es legt sich, hat der Augenarzt gesagt. Die Augen müssen sich erst langsam an die Fremdkörper gewöhnen. Aber es legt sich einen Schmarrn – die Augen gewöhnen sich einen Dreck daran! Tag für Tag, seit zwei Wochen schon, übt Hasi Probeschauen und schaut sich tränenblind. Nichts wie heraus mit dem Zeug! Doch so schwer, wie die Dinger reinzukriegen sind, so schwer gehen sie auch wieder heraus. Hasi ist nämlich nicht fähig, sich in die Augen zu greifen. Seine Finger schaffen das nicht. Sind sie dicht am Augapfel, zucken sie zurück. Und gelingt es ihm, die Finger nicht zucken zu machen, dann schließen sich die Lider blitzschnell und entsetzt. Hysterisches steigt in Hasi hoch. Jetzt zittern seine Finger schon, bevor sie den Augen nahe kommen, jetzt heult er echt, aus Wut und Verzweiflung.
Hasi mag keine Brille tragen. Er hat Mausaugen. Brillen machen die Mausaugen noch mausiger. Bebrillter Hasi kann bebrillten Hasi nicht ausstehen. Außerdem war die große Geburtstagsentscheidung: Kontaktlinsen oder Mofa! Hätte er die idiotischen Dinger nicht bestellt, könnte er wenigstens auf einem nagelneuen Mofa herumreiten.
Hasi zieht schnaubend Tränenrotz durch die Nase hoch und stampft schluchzend mit einem Fuß auf – und hat plötzlich beide Augen frei. Ein Linsendings klebt an der Wange. Er tupft es mit dem Zeigefinger weg. Und dann steht er, das Linsendings am Finger, einen Fuß zehn Zentimeter über dem Kachelboden, und schreit: »Mama!« Hasi kann den Fuß nicht auf den Boden setzen. Unter Umständen liegt dort die zweite Kontaktlinse. Hasi brüllt wieder: »Mama!«
Riesige Altbauwohnungen gehören zum Schönsten, was es gibt im Leben, aber sie haben den Nachteil, daß liebende Mütter die

Hilferufe ihrer Söhne nicht immer sofort hören. Hasi brüllt sich heiser, dann balanciert er die Kontaktlinse auf der Fingerspitze bis zur Brusttasche des Hemdes und läßt sie in die Tasche gleiten, und dann geht er, langsam, als wollte er für einen k. u. k.-Hofknicks üben, zu Boden. Auf einem einzigen Bein. Jeder Muskel zittert dabei. Die Anstrengung ist ungewohnt, doch Hasi schafft es. Der Fuß berührt den Boden nicht, bevor seine Finger die Kacheln unter ihm nach der Linse abgetastet haben. Erfolglos abgetastet!

Hasi kriecht auf allen vieren türwärts. Keine Linse kommt ihm dabei unter die Hände, aber sein konzentriert gesenkter Schädel bumst gegen die Badezimmertür. Das tut nicht weh, aber es macht noch wütender. Er richtet sich auf und hämmert seine Wut mit den Fäusten in die Tür hinein. Die Tür geht auf – nicht vom Gehämmer, Hasi-Mama hat sie aufgemacht und steht nun da, mild und sanft, mitfühlend und erbarmend, aber keineswegs begreifend.

»Die Hurenarschkontaktlinse ist weg!« klagt Hasi an.

Die Hasi-Mama wird heiter. Das kann ja vorkommen! Kontaktlinsen lassen sich wiederfinden! Hauptsache, diese Verzweiflung im verheulten Kindergesicht rührt nur von Schwierigkeiten mit Sehbehelfen her. Dem Himmel sei ehrlich Dank! Die Kinder heutzutag nämlich, die halten kaum etwas aus, sind nicht belastbar. Die kleine Meier hascht, Irmis Mädi will sich latent umbringen, und der Große vom Dr. Braun ist auf und davon. Warum sollte ausgerechnet ihr Nachwuchs nicht ausflippen und plötzlich auf allen vieren kreischend durchs weitere Leben kriechen? Man muß gefaßt sein. Auf ziemlich alles. Keiner kann wissen, welches Elternschicksal für ihn bereitsteht. »Schatzerl«, sagt die Hasi-Mama, »steh auf, ich find sie schon. Und wenn ich sie nicht find, dann bestellen wir halt eine neue.«

Hasi erhebt sich und greift in die Brusttasche. »Die linke hab ich gerettet!« erklärt er nicht ohne Stolz und spürt plötzlich unter den Fingerspitzen zwei kleine gläserne Scheiben. »Und die zweite ist auch da!« schreit er. »Echt! Die muß von selber rein sein! Ich werd wahnsinnig!« Hasi faßt sein Glück gar nicht.

Behutsam holen Hasi und die Hasi-Mama die kostbaren Dinger aus der verbröselten Brusttasche, legen sie in die Mulden des Linsenetuis, gießen Pflegemittel darauf, klappen das Etui zu und lächeln einander an. Und dann braucht Hasi einen Umschlag auf die irritierten Augen. Die Hasi-Mama schiebt ihn vor sich her, lagert ihn auf sein Bett und holt Kamillentropfen und ein feuchtes Tuch. Hasi bekommt einen Augenumschlag und eine Zigarette zur Entspannung. Sonst ist die Hasi-Mama gegen das Rauchen, aber in gewissen Situationen, findet sie, tun Zigaretten gut.

Hasi drückt mit einer Hand das Tuch gegen die Stirn, in der anderen hält er die Zigarette. Wenn die Asche so lang ist, daß sie abzufallen droht, nimmt ihm die Hasi-Mama die Zigarette weg und streift die Asche ab.

»Aber ich werd mich schon noch an die Arschdinger gewöhnen!«

Hasi hat bereits wieder Mut gefaßt. Hasi-Mama nickt zustimmend. Sie nimmt sich auch eine Zigarette, fragt: »Sag, Schatzerl, hast du jetzt endlich deinen Urlaub geklärt?«

»Warum?«

»Ich mein nur – falls du doch mit uns fahren willst – ich mein, die andern sagen oft, sie dürfen. Und hinterher dürfen sie dann gar nicht.«

»Natürlich dürfen sie.«

»Und du hast keine Angst? So weit weg. Was ist denn, wenn etwas schiefgeht?«

Hasi spürt es warm an den Fingern, weil die Zigarette zum Stummel geworden ist. Er hebt die Hand, die Hasi-Mama nimmt ihm die Zigarette ab.

»Ich bitt dich, Mama, was soll denn schiefgehen?«

Man darf die eigenen Ängste nicht auf die Kinder übertragen, man hat die Kinder selbständig zu machen. Flugzeuge können auch abstürzen, Schiffe können untergehen, wenn die sorgenden Eltern an Bord sind. Und das komplette Reisegeld samt Pässen hat der eigene Ehemann, vierzigjährig, in Schottland verloren. Und blöder als sie selber kann auch ihr sechzehnjähriger Sohn die original griechische Speisekarte nicht anglotzen.

»Gar nichts kann schiefgehen«, sagt die Hasi-Mama. »Aber du kennst ja ein ängstliches Muttergemüt, dumm, aber schwer zu ändern.« Sie lächelt entschuldigend. »Wieviele seid ihr denn jetzt?«

»Sieben. Oder sechs«, sagt Hasi zögernd.

»Und wer? Außer Christine und dir?«

Ja, wer denn? Vor einem Monat wollten wirklich noch sechs mitfahren. Aber die Traude hat kein Geld, und der Michi bekommt zwei Nachprüfungen, der muß lernen, nichts als lernen. Die Babsi und der Wolfi dürfen nicht. »Zu jung dafür«, haben ihre Alten erklärt. Der Helmut tut zwar noch immer, als könnte er mitfahren, aber das nimmt ihm kein Mensch ab. Der darf genauso wenig wie die anderen. Seine Eltern sind versessen darauf, ihren Bubi am Strand von Biarritz neben sich im Sande zu wissen. Die Schwester vom Helmut hat das glaubwürdig erzählt. Bleibt also: Christine. Bleiben also: Christine und Hasi. Natürlich könnte man der Hasi-Mama auch diesen Sachverhalt erklären, aber Hasi kennt ihr Interesse an seinen Angelegenheiten. Wenn sie erfährt, daß Hasi nicht mit einer ganzen Clique, sondern mit einem einzigen Mädchen, dem Mädchen, in das er seit einem Jahr verliebt ist, nach Griechenland fährt, dann wird sie ihm etwas »mitgeben« wollen auf den Urlaubsweg. Dann ist er bis zur Abfahrt mit Erklärungen und Aufklärungen eingedeckt. Hasi weicht also aus.

»Auf alle Fälle fahren Christine und ich. Und der Helmut. Und die Traude. Aber die muß erst das Geld zusammenbringen.«

»Wieviel fehlt ihr denn noch?«

Hasi nimmt den Umschlag von der Stirn und setzt sich auf. »Nein, Mama«, ruft er. »Das will sie nicht. Die läßt sich nichts schenken. Und ich mag auch nicht dauernd wie die Elfe mit dem Füllhorn herumrennen!«
Hasi-Mama murmelt beschämt: »Aber wir sind ja nicht gerade arm. Ihre Eltern ...«
Hasi unterbricht sie: »Kannst ja Papa vorschlagen, daß er ihrem Vater einen guten Job verschafft!«
»Was hat ihr Vater denn für einen Beruf?« Der Hasi-Mama ist es wirklich ernst.
»Straßenbahner!« grinst Hasi.
»Aber Schatzerl! Was soll denn da der Papa tun, wie stellst dir denn das vor?«
»Gut stell ich mir das vor! Der Papa läßt sich von der Ordination zur Wohnung und von der Wohnung zum Spital Schienen legen und kauft eine ausrangierte Straßenbahn, und der alte Bogner fährt ihn bimmelnd hin und her. – Zwei, drei Kröpfe im Monat mehr, und die Spesen sind drin. Und der Straßenbahn malen wir eine Reklametafel: Millionäre lassen nur bei Haselmeier schneiden!«
»Schatzerl!« Die Hasi-Mama schwankt zwischen Entsetzen und Lachen.
»Na, ist doch wahr«, sagt Hasi. »Was der Papa in einem Monat verdient, verdient der Vater von der Traude nicht einmal in einem Jahr.« Hasi schwenkt den nassen Umschlagfetzen in der Luft. »Was heißt da Jahr? In drei Jahren nicht!«
»Schatz, ich glaub, du machst dir falsche Vorstellungen über unser Einkommen.« Die Stimme der Hasi-Mama ist rügend.
»Absolut nicht, die Zeiten sind vorbei. Kannst im ›Spiegel‹ und im ›Profil‹ nachlesen, was die Spitzenärzte verdienen. Und da ist das, was der Papa schwarz verdient, noch gar nicht mitgerechnet!«
Die Hasi-Mama schaut verstört. »Nimmst du es dem Papa übel, daß er gut verdient?«

Hasi lacht. »Er verdient nicht gut, er scheffelt Gold aus den Kröpfen. Da ist ein Unterschied!«
»Was redest denn dauernd von Kröpfen?« Die Hasi-Mama wird nervös. »Als ob der Papa nur Kröpfe schneiden würde! Dein Vater, mein Lieber, ist einer der besten Chirurgen im Land. Der ...« Die Hasi-Mama hört zu reden auf, weil Hasi ungeduldig mit dem Umschlagfetzen abwinkt. Er sagt: »Reg dich ab, es regt mich ohnehin nicht auf. Aber sagen kann man es ja!«
»Natürlich, Schatz, man soll alles sagen.« Die Hasi-Mama steht auf, nimmt ihrem Sohn den Umschlag ab und betrachtet Hasi liebevoll. Jung ist er eben. Und wenn man jung ist, hat man einen ausgeprägten Gerechtigkeitssinn. Das ist nur gut. Und noch besser ist, daß seine Augen fast nicht mehr rot und gar nicht mehr geschwollen sind.

23. Juni

Berti hat nachgegeben, weil ihn Christine niedergeredet, wehrlos und hilflos geredet hat. Der letzte Streit mit der Frau ist ihr auch zu Hilfe gekommen. Mit einem Satz, Christines Frisur betreffend, hat der Streit begonnen. Mit einer Beschwerde des Nachbarn hat er geendet. Der Nachbar hat kreischend angerufen und erklärt, wenn das Brüllen und Türschlagen nicht bald aufhört, dann schreibt er einen Brief an die Hausverwaltung. »Man könnte ja meinen, ihr bringt euch gegenseitig um!« hat er ins Telefon geschrien. Das hat Berti davon überzeugt, daß Christines Mord- und Totschlagsdrohungen für Aussee der Grundlage nicht entbehren. Und da ihm Christine auch für den Fall einer England-Camp-Verschickung nichts als Durchbrennen und Ausreißen garantiert hat, hat Berti schließlich vergrämt gesagt: »Na, gut – von mir aus!« Er hat sogar die

Freundlichkeit gehabt, die Frau zu informieren. Die hat, wie immer in Entscheidungsfällen, die über die Abgabe von zehn Schilling oder einer Turnentschuldigung hinausreichen, gesagt, da habe der Vater gefragt zu werden, das müsse das Familienoberhaupt gestatten oder verbieten. Damit hat Christine gerechnet. Nur kann man sich nicht so einfach an den Vater wenden, weil der selten vorhanden ist. Manchmal kommt er erst um Mitternacht. Hin und wieder auch später. Durchs Telefon will ihm Christine die Urlaubspläne nicht erklären. Und wenn sie ihn im Büro anruft und bittet, zeitig heimzukommen, weil sie dringend mit ihm reden muß, dann kommt er wahrscheinlich früher nach Hause, aber dann ist er grantig, und wenn er grantig ist, ist er gegen alles.
Am einfachsten ist es, ihn im Büro aufzusuchen. Wenn sie stört, kann sie ja wieder gehen. Und wenn er Zeit hat, dann ist er dort auf alle Fälle freundlicher als zu Hause.

Das Büro des Vaters ist in einem alten Haus mit einer breiten Einfahrt. Wenn der Vater im Büro ist, steht sein Auto in dieser Einfahrt. Christine sieht das Auto, wie sie um die Ecke biegt. Es ist ein nagelneuer Mercedes, ein schwarzer. Christine mag das Auto nicht. Es paßt nicht zu ihrem Vater. Der Vater ist klein und dünn. Im neuen Auto schaut er aus, auch ohne Kappe, wie sein eigener Chauffeur. Was will er mit der Kutsche? Sündteuer sind ganz andere Autos auch. Und wenn es schon ein Mercedes sein muß, warum gerade ein schwarzer? Spielt er »Beerdigungsinstitut« oder »Bundeskanzler«? Irgend etwas spielt er auf alle Fälle.
Christine rennt die Wendeltreppe in den zweiten Stock hinauf und überlegt, welches Auto zu ihrem Vater passen würde. Sie kann sich für keins entscheiden. Sie denkt: Ein Moped am ehesten! Oder ein Motorroller! Und hinten drauf die Frau. Wenn die dann ihre dicken Arme um seinen kleinen Leib schlingt, dann sieht man nur mehr seinen Kopf. Dann würden

die Leute meinen, eine dicke Frau mit einem Zweitkopf zwischen den Brüsten braust da des Weges!
Das Türschild des Vaters ist riesengroß und aus Messing. DIPL. KFM. SIEGFRIED HAMMER STEUERBERATER steht drauf. Wie ein Grabstein ist es. Nur Gräber brauchen DIN-A3-große Namenstafeln. Wahrscheinlich spielt er doch Beerdigungsinstitut!
Christine verschnauft vor dem Grabstein. Siegfried Hammer! Sie kann diesen Namen noch immer nicht hören oder lesen, ohne peinlich berührt zu sein. Einen kleineren Siegfried, einen schwächeren Hammer hat es noch nie gegeben. Warum hat der Großvater nicht zusammen mit dem Entnazifizierungsantrag einen anderen Namen für seinen Sohn erbeten? Aber vielleicht ist der Name für den Vater kein Problem? Vielleicht zieht er keine Vergleiche zwischen seiner kleinen Äußerlichkeit und seinem gewaltigen Namen.
Christine drückt auf die Klingel neben dem Grabstein. Die Tür geht auf. Im Vorzimmer der Kanzlei ist niemand. Da hat Christine auch noch nie jemanden gesehen. Das Vorzimmer gehört ausschließlich dem Kleiderständer und einem Riesengrünzeug, das, dunkel und glänzend gesprayt, jede Woche ein neues Blatt gebiert.
Im Zimmer hinter dem Vorzimmer sitzt die Rehatschek. Christine freut sich, die Rehatschek zu sehen. Die ist nicht jung und nicht alt, nicht schön und nicht häßlich. Besonders heiter, besonders gesprächig, besonders freundlich ist sie auch nicht, aber sie zählt zum Verläßlichsten, was es im Leben gibt für Christine. Ohne Rehatschek hätte es schon oft übel ausgeschaut. Die Rehatschek hat sie beim Arzt, der auch Fünfzehnjährigen die Pille verschreibt, angemeldet. Die Rehatschek ist damals, wie der Vater im Ausland war, mit der Vorladung in die Schule gegangen und hat mit Engelszungen auf den Direktor eingeredet, bis sich der konfiszierte Joint in Luft aufgelöst hat. Nicht auszudenken, was passiert wäre, wenn die Frau in

die Schule gelatscht wäre! Die Rehatschek hat sie auch vom Skikurs abgeholt, wie sie sich den Fuß gebrochen hat. Und wenn ihr wer zu Weihnachten oder zum Geburtstag einen unausgesprochenen Wunsch erfüllt, dann ist das nur die Rehatschek, denn Klein-Siegfried mag keine Überraschungen, der teilt nur Geld aus. Und wenn die Frau im Hutgeschäft an der nächsten Ecke keine schwarze Baskenmütze bekommt, nimmt sie eine rote Schirmkappe, um ihre Füße nicht mit dem Weg ins nächste Geschäft zu belasten.

»Gott zum Gruße, mein Engel«, sagt die Rehatschek.

Christine setzt sich der Rehatschek gegenüber. »Ist der Papa frei?« fragt sie.

Die Rehatschek schüttelt den Kopf. Der Chef ist gar nicht da, der ist essen gegangen. In einer halben Stunde will er wieder zurück sein. Aber dann kommt gleich ein Kunde, der wird ihn ziemlich lang beanspruchen. Die Rehatschek zeigt auf ein dickes Bündel von Mappen und Papieren. »Das hab ich schon vorbereitet, da müssen sie sich durchackern!«

Christine seufzt, und die Rehatschek erkundigt sich, ob sie vielleicht helfen kann.

»Eigentlich«, sagt Christine, »will ich ihm nur sagen, daß ich nicht nach Aussee mitfahren will, sondern mit dem Berti nach Italien.« Die Wahrheit ist in diesem Fall auch der Rehatschek nicht zuzumuten.

»Der Berti will dich mitnehmen?« Da staunt die Rehatschek. »Und die Mama ist einverstanden?«

Christine verzieht abfällig das Gesicht. Die Rehatschek nickt verständnisvoll, sagt: »Dein Vater hat übrigens schon mit dem Gedanken gespielt, heuer gar nicht auf Urlaub zu gehen.« Ein Hauch Vertrauensbruch ist in ihrer Stimme. »Er hat zuviel Arbeit. Er hat schon erwogen, dich und deine Mutter allein nach Aussee zu schicken!«

»Pfui Spinne, soweit kommt's noch!« Christine tippt sich ob der Zumutung an die Stirn.

»Nana«, murmelt die Rehatschek. »Es gibt noch was Ärgeres!«
»Wenn ich mit der Frau einen Monat allein in Aussee sein muß, dann bring ich mich um!« sagt Christine ernst.
Die Rehatschek seufzt. »Daß das so gar nicht hinhaut zwischen dir und deiner Mutter!«
Christine sagt verbittert: »Wieso? Was heißt hinhaut? Hingehaut hat sie oft genug. Nicht die Beziehung. Aber die Mutter.«
»Du warst aber auch kein einfaches Kind.« Die Rehatschek lächelt erinnernd. »Und sie war halt immer so ratlos. Und dein Vater ...«
Christine unterbricht: »Jetzt schieb Klein-Siegfried nicht in die Schuhe, daß sie mich dauernd gedroschen hat!« Christine lacht. »Wenn sie mich erwischt hat!«
Nein, die Rehatschek hat nicht im Sinn, dem Chef irgend etwas in die Schuhe zu schieben. Warum sollte sie die dicke Frau verteidigen, die dicke Frau, die ihr seit zwanzig Jahren ein Verhältnis mit Klein-Siegfried nachsagt. Die dicke Frau, die für teures Geld einen Detektiv hinter ihr hergejagt hat und trotz aller negativen Berichte immer noch herumerzählt, daß ihr Mann eine Liebschaft mit seiner Sekretärin hat. Warum soll man die verteidigen? – Vielleicht, weil man es von Anfang an miterlebt hat? Siebzehn war die Frau und prall und schön und nicht sehr klug, und Klein-Siegfried brauchte sie als Schmuck und Aufputz, als: »Wie edel muß ich doch sein, daß ich so ein schönes Weib bekommen habe«. Aus der Schule hat er sie weggeheiratet. Die Frau war es damals zufrieden. Zum schönen Glück hat nur noch ein Kind gefehlt. Diesen Wunsch hat ihr Klein-Siegfried erfüllt. Aber ganz blöde war die Frau damals noch nicht. Zwei, drei Jahre später hat sie nicht mehr viel Freude am schönen Glück gehabt. Da hat sie ihr Leben ändern wollen. Hat es nicht mehr ausgehalten beim Putzen und Wischen und Kochen und Klein-Siegfried-bedienen. Hat Pläne gemacht. Die Matura wollte sie nachmachen. Einen Beruf wollte sie lernen. Sie hat sich in einer Maturaschule angemel-

det. Schön langsam hat sie ein paar Prüfungen gemacht. Da ist Klein-Siegfried nervös geworden. Eine Frau, hat er gesagt, braucht einen Mann und Kinder. Keinen Beruf! Tüchtig ist Klein-Siegfried selber! Geld verdient er! Einen Beruf hat er! Was er braucht, hat er gesagt, ist eine tüchtige Hausfrau und eine schöne Frau! Er hat ihr ein zweites Kind gemacht, damit nichts aus ihren Plänen wird. Die Frau wollte es abtreiben. Klein-Siegfried hat ihr kein Geld dafür gegeben. Die Frau hat sich durch die Schwangerschaft geheult, hat ein zweites Kind bekommen und stille, hinterhältige Rache geübt. Sie hat sich häßlich gefuttert und dummgegessen, unbeweglich und tatenlos. Das hat er jetzt davon! Recht geschieht ihm!
Die Rehatschek lächelt Christine zu. Lächeln hilft zwar nicht, aber etwas anderes hilft da auch nicht. Da hilft eigentlich nur mehr erwachsen werden. Und das dauert bei Christine ja gottlob nicht mehr allzu lange. Obwohl das natürlich entsetzlich ist. Ein Leben ist kurz. Um jeden Tag, den man unzufrieden lebt, ist es schade. Es ist ein Verbrechen, Christine auf später zu vertrösten.
Die Rehatschek lächelt nicht mehr. Sie hört Schritte im Vorzimmer und sagt: »Jetzt ist er da, laß mich mit ihm reden!«
Klein-Siegfried kommt ins Rehatschek-Zimmer und fragt, was es Neues gibt, will wissen, ob seine Tochter einfach so hier ist oder aus einem bestimmten Grund.
Die Rehatschek strahlt Klein-Siegfried an. »Chef«, sagt sie, »Ihr Problem hat sich mit einem Schlag gelöst. Der Berti ist bereit, Christine nach Italien mitzunehmen. Wir können also den Laden offenhalten. Mir macht es nichts aus, wenn ich mir erst im Oktober Urlaub nehme!« Wie die Rehatschek die Sache vorträgt, hat es den Anschein, als sei alles so arrangiert worden, um Herrn Steuerberater Hammer den Geschäftsgang zu erleichtern. »Und Ihre Frau könnte doch zu einer Kur fahren!«
Christine unterdrückt ein Grinsen. Das wird dann also die siebente Abmagerungskur der Frau. Aber die Frau hat wohl

nichts dagegen. Die fürchtet sich vor einem Aussee mit Christine sicher auch enorm.
Klein-Siegfried sinnt: Abmagerungskuren sind nicht billig und helfen der Frau kaum, weil man ihr auch zehn abgenommene Kilo nicht ansieht. Aber irgendwohin muß er ja mit der Frau. Wenn er sie den Sommer über in der Stadt hocken läßt, rächt sie sich mit einem Kreislaufkollaps oder depressiver Verstörung. Und allein nach Aussee will sie sicher auch nicht.
»Rogarska Slatina soll gut sein«, sagt die Rehatschek.
An der Eingangstür klingelt es. »Der Weininger«, sagt Klein-Siegfried. Er schnappt das Aktenbündel vom Schreibtisch der Rehatschek und wieselt zu seinem Zimmer. Die Rehatschek geht ins Vorzimmer. Der Weininger muß eine wichtige Kundschaft sein. Nur wichtige Kundschaften werden von der Rehatschek persönlich hereingeleitet, damit sie sich nicht versehentlich aufs Klo verirren.
Bevor Klein-Siegfried die Polstertür hinter sich schließt, sagt er zu Christine: »Im Laufe der Woche, Kleines, möchte ich aber um eure detaillierten Geldforderungen bitten! Ich weiß ja gar nicht, ob ich mir euren Urlaub leisten kann!« Dabei grinst er, zufrieden wie einer, der sich einfach alles leisten kann.

26. Juni

In der Schule tut sich nichts mehr. Dumpf und lustlos hocken sie in der Klasse, gähnende anwesenheitspflichtige Ausstattungsstücke. Dem beim Lehrertisch geht es nicht besser, der schenkt einer grünschillernden Fleischfliege auf der Fensterscheibe seine Aufmerksamkeit. Nur Hasi ist noch ärmer dran. Den haben sie zum Vorlesen eingeteilt. Er sitzt hinter seinem Pult, wippt nervös mit dem Stuhl und liest. Er weiß, daß ihm niemand zuhört. Laut sind sie nicht, aber er spürt ihr schläfri-

ges Desinteresse. »Ich mag nicht mehr«, sagt Hasi und lehnt sich zurück. Nur der beim Lehrertisch merkt gleich, daß das nicht zum Text gehört, die anderen kapieren es erst, als der beim Lehrertisch fragt: »Wer will fortsetzen?«
Keiner will fortsetzen. Die Fleischfliege verkriecht sich in die Rolljalousie. »Na schön«, sagt der beim Lehrertisch, »dann reden wir über das, was der Haselmeier bis jetzt vorgelesen hat!«
Einig nickt die Klasse, und der beim Lehrertisch und Hasi veranstalten ein Zwiegespräch, da sie ja die einzigen sind, die die Geschichte kennen.
Christine, zwei Pulte hinter Hasi, schreibt an einer Liste. Die ganze Woche schreibt sie schon Listen. Sie muß planen, was sie nach Griechenland mitnimmt. Viel geht auch in einen großen Rucksack nicht hinein. Und Gepäck karg halten, ist sie nicht gewohnt. Der Kofferraum von Klein-Siegfried ist groß. Sitznachbarin Traude zieht die Liste auf ihre Pultseite, nimmt Einblick und schreibt ans Listenende: *Haarfön/Rekorder/Luftmatratze.*
Christine flüstert: »Das wird mir ja viel zu schwer!«
Traude dreht die Liste um, schreibt auf die Hinterseite: *Damit soll sich Erdbeerhasi abschleppen!*
Christine mag es nicht, wenn man den Johannes Haselmeier »Erdbeerhasi« nennt. Das ist abfällig gemeint und stammt aus einer Zeit, wo Hasi ein strebsamer Vorzugsschüler war, gelehrsam und angepaßt, willig und lehrerlieb. Damals war er auch der Handheber vom Dienst. Nicht nur, wenn die Lehrer Fragen stellten, zeigte er auf. Immer zeigte er auf. Er ergänzte mit seinem Privatwissen die Vorträge der Lehrer auf das Artigste. Man behauptete damals, Hasi lerne vor, hocke jeden Nachmittag über den Büchern und studiere den Lehrstoff der nächsten Stunde. Die meisten Lehrer mochten das. Zumindest hatten sie nichts dagegen. Nur der neue Geographie-Mensch, der wollte das nicht. Und der hielt eines Vormittags einen Vortrag über Bulgarien und übersah dabei Hasis immer heftiger emporge-

streckte Rechte. Auch Hasis: »Bitte, Herr Professor, bitte!« überhörte er. Das begriff Hasi einfach nicht. So hatte ihn noch niemand behandelt. So etwas durfte nicht sein. Hasi, damals zwölfjährig, verstand die Welt nicht mehr und fing zu weinen an. Leise zuerst, dann bitterlich laut, worauf der Geographie-Mensch im Vortrag innehielt und verstört fragte: »Warum heulst du denn, Haselmeier?« Und Hasi sprang auf und schluchzte: »Weil in Bulgarien die Erdbeeren die Devisenbringer sind!«
Seit dieser längst verjährten Geographie-Stunde ist Hasi bei etlichen in der Klasse das »Erdbeerhasi«. Aber der strebsame, angepaßte, lehrerliebe Vorzugsschüler ist er längst nicht mehr. Ganz im Gegenteil. Seine Wesensveränderung hat sich im Sommer nach der vierten Klasse vollzogen. Im englischen Camp. Dort hat er beschlossen, sich auf die Seite der Kollegen zu schlagen und auf die Zuneigung der Obrigkeit zu verzichten. Und damit jeder die Wandlung kapiert, hat er sich am Anfang der Fünften voll ins Zeug gelegt. So herumgeprügelt wie Hasi hat sich sonst keiner, so wenig Aufgaben gemacht hat auch keiner, so frech, so aufsässig war sonst niemand. Eigentlich war er auch wieder sehr strebsam, nur einem anderen Ziel entgegen. Und seither mag ihn Christine. Vorher hat sie ihn verabscheut. Daß sich einer so grundlegend ändern kann, bewundert Christine an Hasi. Und sie findet, daß mit einer Charakteränderung auch ein häßlicher Spitzname fallen sollte.
Christine entzieht Traude die Liste und hakt die Sachen ab, die sie schon zu Hause hat. Eine Sache allerdings, die sie auch zu Hause hat und die sie mitnehmen wird, steht nicht auf der Liste: Die Anti-Baby-Pillen-Packung. Seit zwei Monaten und jetzt schon wieder fünf Tagen schluckt Christine die Pille. Bisher völlig sinnlos und unerhört zwecklos. Aber schließlich darf man ja nicht mitten in einem Monat anfangen, das Zeug zu fressen. Man muß für »den Fall« gewappnet sein. Warum der Fall noch immer nicht eingetreten ist, ist das große Problem

zwischen Christine und Hasi. Den ungünstigen Umständen kann man natürlich einen Teil der Schuld geben. Im hinteren Winkel eines Party-Kellers, zwischen einem Dutzend Schmuser, mag Christine nicht. Bei ihr zu Hause, wenn nebenan die Frau in den Fernseher glotzt, ist es unmöglich. Bei Hasi daheim wäre es zwar möglich – seine Eltern sind oft am Abend weg und seine große Schwester kümmert sich um gar nichts –, aber da ist das Biest von einem kleinen Bruder, das hämmert gegen die versperrte Zimmertür und greint, daß es ein Geo-Dreieck braucht oder den zweiten Band ›Winnetou‹. Manchmal macht sich der Kerl nicht einmal die Mühe einer Ausrede und schreit: »Was tut ihr da drinnen? Macht auf, ich will hinein!«
Und wenn es vor der Tür ganz still ist, ist es leicht möglich, daß er draußen lauert und eins seiner großen, abstehenden Ohren an die Türfüllung preßt. Da verliert Christine die Lust auf Erotik. Das muß Hasi einsehen. Da braucht er nicht behaupten, sie liebt ihn nicht. Sie liebt ihn. Sie braucht nur günstige Umstände für die Liebe. Und Zeit. Viel Zeit. Sie will nicht verschreckt die Bluse zuknöpfen, weil die Wohnungstür quietscht und Hasi-Mama und Hasi-Papa vom Theater nach Hause kommen. Es stimmt schon, manchmal hört sie auch Geräusche, wo keine sind. Dann schiebt sie Hasis Hand von ihrem Körper und flüstert: »Vor der Tür ist jemand!« Und wenn Hasi »aber nein« murmelt und weiter an ihr herumgreift und herumküßt, dann wird sie wütend. So wütend, daß sie ihn gar nimmer spüren will. Fast ekelt ihr dann vor ihm. Einmal ist der arme Hasi sogar aus dem Bett gefallen und hat sich das Steißbein verstaucht, weil sie ihn mit aller Kraft weggestoßen hat. Aber damals war sie wirklich ganz sicher, die Stimme der Hasi-Mama zu hören. Das war ehrlich keine Ausrede. Das unterstellt ihr bloß Hasi!
Und vergangenen Samstag, da war weder der kleine Bruder nebenan noch die Hasi-Eltern. Alle Hasen waren über das Wochenende fort. Und da war auch genug Zeit. Weder Ge-

räusch noch Stimmen hat Christine gehört, aber außer intensiven Handgreiflichkeiten ist wieder nichts vorgefallen.
Immer wieder überdenkt Christine diesen sonderbaren Samstagnachmittag. Alles war O. K. In Hasis Zimmer war es dämmrig, weil Hasi die Vorhänge zugezogen hatte. Warm war es, weil Hasi die Heizung auf dreißig Grad gestellt hatte, nackt waren sie, geküßt haben sie einander, gestreichelt, und Hasi hat sie zwischen den Küssen gefragt, ob sie heute endlich wirklich dazu bereit ist, und Christine hat genickt und hat es ganz ehrlich gemeint. So ehrlich, daß sie sich gedacht hat: Heute ist der 22. Juni. Das Datum muß ich mir unbedingt merken! Hasi hat sich auf Christine gelegt, Christine hat ziemliches Herzklopfen bekommen. 22. Juni, hat sie gedacht, und dann war ihr Bauch plötzlich klebrig naß, und Hasi hat sich von ihr runtergewälzt, den Kopf in den Polster gesteckt und geflucht.
Seither hat Hasi gar nicht mehr versucht, mit Christine allein zu sein. Seither benimmt er sich komisch. Dem Helmut hat er eine Ohrfeige gegeben, weil sie der Helmut als Dank für die Jausensemmel auf die Wange geküßt hat. »Du Sau!« hat Hasi gebrüllt und sich auf den Helmut gestürzt, als ob er ihn umbringen wollte. Es war so absurd und irrsinnig, daß ihm der Helmut nicht einmal böse war. Außerdem hat Hasi hinterher behauptet, daß alles nur Spaß gewesen ist, harmloser, zu heftiger Spaß. Jedenfalls ist es gut, daß kein anderer nach Griechenland mitfährt. So fällt jeder Grund zur Eifersucht weg. Christine nimmt den roten Faserschreiber und malt quer über die Gepäckliste:
A B P nicht vergessen!
»Was ist *A B P*?« flüstert Traude. Christine tut, als höre sie das Geflüster nicht. Traude runzelt die Stirn zu Denkfalten. Christine erweitert das A zu *Anti.* Traude strahlt erkennend, spitzt die Lippen und stößt einen Pfiff aus, der zart und leise gemeint war, aber schrill und laut das Zwiegespräch von Hasi und dem Lehrertisch-Herrn stört und sämtliche Kollegen erschrocken aus dem dumpfen Dahindösen hochfahren läßt.

1. Juli

Christine kratzt mit dem Daumennagel roten Lack vom Zeigefinger. Sie hat sich vorgenommen, den Nagel vom Lack befreit zu haben, bis der Klassenvorstand mit der Zeugnisansprache fertig ist. Lauter Quatsch redet die Dame, Sätze, an die sie selber nicht glauben kann. Zu einer festen Gemeinschaft hat man sich heuer gefunden? Und ein paar haben leider Pech gehabt? Und denen wünschen wir alles Gute? Wer sind denn »wir«? Meint sie vielleicht gar, daß »wir« »wir Lehrer« und »wir Schüler« sind? Christine lächelt. Das verlogene »wir« stimmt sie heiter, und die Gewißheit, derartigen Sprüchen in den nächsten zwei Monaten nicht ausgesetzt zu sein. Christine schabt das letzte Fuzerl Lack vom Finger. Sie hat ihr Pensum weit vor dem Klassenvorstand geschafft. Als Fleißaufgabe macht sie sich über den Mittelfinger her und hat Glück. Mit einem einzigen Ruck löst sie ein karpfenschuppengroßes Stück Lack. Was hat die liebe Dame gerade gesagt? Nächstes Jahr mit vermehrtem Eifer? Weil nächstes Jahr die Anforderungen noch größer werden? – Grüß Gott, Frau Kompott, freut mich sehr, Herr Preiselbeer. Jedes Jahr sagt sie das am letzten Schultag – um die allgemeine Heiterkeit, wie sie es nennt, in Grenzen zu halten. Sie merkt nicht, daß letzte Schultage ohnehin voll Melancholie sind. Zwei gehen weg. Einer, weil er umzieht. Einer, weil er nicht zum zweitenmal sitzenbleiben kann. Die wird man trotz aller guten Vorsätze nie mehr wieder treffen. Drei haben zwei Nachprüfungen, vier haben eine Nachprüfung. Nachprüfungen werden auch nur zur Hälfte bestanden, sagt die schuleigene Statistik. Schäbig und gemein kommt man sich vor, wenn man da hockt und ein durch und durch passables, je nach Vaterlaune prämienträchtiges Zeugnis zu erwarten hat.

Wenn man sich wenigstens sehr darum bemüht hätte, gelernt und geschuftet! Oder wenn man klüger wäre als die anderen.

Aber man hat nur mehr Glück gehabt. Glück haben ist schön, doch nur, wenn man darauf vergißt, daß andere keins haben. Hasi wenigstens hat einen Zipfel vom Glück erwischt. Vier Fünfern ist er um Haaresbreite entgangen. Vielleicht war es auch sein Glück, daß sein Chirurgenvater der Frau vom Direktor den Kropf abgeschnitten hat? Vielleicht hat er das zum Glück gratis gemacht? Nein, der Verdacht ist übertrieben, weil der Mathe-Mensch, der mag nicht nur den Hasi nicht, der mag auch den Direktor nicht, der würde eher in Frühpension wanken, als dem Direktor einen Gefallen zu tun. In Mathe war das einfach ein Zufall. Der Hasi hat bei der Feststellungsprüfung zwei Beispiele bekommen, die er vorher mit dem Nachhilfeonkel gerechnet hat. Nichts als ein Zufall! Außerdem ist das völlig wurscht, weil es ohnehin nur ein Zufall ist, daß man hier hockt. Weil man zufällig Akademikerkind ist, zufällig einen wohlhabenden Vater hat, zufällig ehrgeizige Arbeiter-Eltern. Weil man zufällig in einem Haushalt ausgeschlüpft ist, in dem Bildung Vorrang hat. Soll man dem Zufall dankbar sein? Man soll. In Grenzen. Dasitzen, Nagellack wegschaben und Gähnen und Grimm unterdrücken, ist grausam. Aber alle anderen Möglichkeiten, im Rahmen des Möglichen, sind noch grausamer: Im Frisiersalon Köpfe waschen, im Supermarkt Wurst schneiden, hinter einer Nähmaschine Knopflöcher endeln – viel mehr scheint das Leben nicht anzubieten. Mechanikerinnen, Glasbläserinnen und Rauchfangkehrerinnen soll es auch noch geben. Vielleicht macht irgendwas davon Spaß. Aber es kann keinen Spaß machen, mit viel Arbeit wenig Geld zu verdienen. Da braucht man nur an die Rehatschek und Klein-Siegfried zu denken. Klein Siegfried ist gewiß klug und schlau. Doch die Rehatschek ist gewiß genauso klug und schlau. Was der zum Geldverdienen fehlt, ist ein langes Studium. Wenn man schon arbeiten muß, dann sollte man schauen, daß man es in der Klein-Siegfried-Position kann und nicht hinter dem Rehatschek-Tisch. Sonst könnte man ja gleich etwas Nützli-

ches tun. Hasi sagt, er will Sozialarbeiter werden. Oder Sonderschullehrer. Berti lacht darüber, sagt, dann bekommt Hasi sein Lebtag lang so viel Gehalt, wie er jetzt Taschengeld hat. Hasi behauptet, es kommt ihm nicht aufs Geld an. Berti sagt, wenn einer soviel Taschengeld wie Hasi hat, dann redet es sich leicht. Hasi stottert vor Empörung und Aufregung, wenn ihm Berti das vorhält, schreit: »Red nicht blöd! Ich mein es wirklich! Ich bin doch nicht schuld daran, daß sich mein Alter blöd verdient!«
»Mitgefangen, mitgehangen«, ächzt Berti dann. Dabei hat er überhaupt keine Ursache zur Großmäuligkeit; was er Klein-Siegfried monatlich abknöpft, ist ein ganz schöner Batzen, und wenn er nicht auskommt, holt er sich noch allerhand von der Frau. Hält ihm das Christine vor, sagt er: »Dafür verzichte ich auf das edle Recht, von einer Sozialarbeiterlaufbahn zu reden. Den Luxus, find ich, dürfen sich Taschengeldempfänger unserer Preisklasse nicht leisten!«
Hasi wird bei solchen Reden völlig konfus. Nach dem empörten Stottern bricht er komplett zusammen, schaut trüb vor sich hin, sitzt nagelnagend am Kamelsattel und holt die Finger nur mehr aus dem Mund, um an der Zigarette zu ziehen. Dann tut er Christine leid, obwohl sie Berti ziemlich recht gibt. Hasi und sein zukünftiger Berufsethos in Ehren! – aber wenn es ihm nicht aufs Geld ankommt, warum verfrißt, versauft und verraucht er es selber? Warum läßt er sich dort die Haare schneiden, wo es ein Vermögen kostet? Und die Hemden, die er als »unmöglich« ablegt, die würde ja glatt noch Klein-Siegfried auftragen!
Christine macht sich über den Lack am kleinen Finger her und seufzt tief. Traude hält es für Kritik an der klassenvorständlichen Rede und flüstert: »Gleich ist sie fertig! Jetzt kommt noch die gute Erholung und die Kräfte, die wir für den Herbst aufbauen sollen, dann geht sie!«
Traude hat recht, die »gute Erholung« und »die Kräfte für den

Herbst« sind schon da. Dann überreicht die Dame die Zeugnisse, knüpft einige persönliche Floskeln daran, bekommt von Klassensprecherin Babsi einen schweinsrosa Gladiolenstrauß und stampft aus dem Raum.
»Pfui Spinne«, sagt Christine. »Heuer hat sie sich selbst übertroffen. Genau siebenundfünfzig Minuten hat sie geredet!«
Hasi schwenkt sein Zeugnis über dem Kopf. Er brüllt: »Rekord, Rekord! Zehn Genügend! Wer bietet mehr!«
Keiner bietet mehr. Sogar der mit den vier Nichtgenügend hat einen besseren Notendurchschnitt als Hasi; denn Hasi hat es geschafft, sowohl in Kunsterziehung als Musik und Leibesübung einen Vierer zu bekommen. Für einen, den sie vor drei Jahren noch zur Leichtathletik-Meisterschaft entsandt haben, für einen, dessen absolutes Gehör noch vor drei Jahren durch die Schule gelobt wurde und dessen Zeichnungen auf den Schulgängen ausgestellt waren, wahrlich eine reife Leistung. Diese drei »Genügend« haben vorige Saison schon den Chirurgen-Papa zum Toben gebracht. Er zerfetzte das Zeugnis und wollte die Schule verklagen. Er wollte sein Hasi in eine andere Schule schicken, in eine, die die Leistungen des Sohnes anerkennt. Aber dann klärte ihn der kleine Sohn darüber auf, daß Hasi in den Turnstunden entweder der Länge nach auf dem Boden lag und Schnarchen spielte oder auf dem Tau kreischend durch den Saal schaukelte und den Turnlehrer ständig mit der Mitteilung nervte: »Bitte, bitte, ich kann schon einen Purzelbaum!« Er erfuhr auch, daß Hasi während der Gesangstunde, ganz gleich, ob Platten gehört, gesungen oder Musikgeschichte verkündet wurde, das Lied vom »holden Gänseblümchen« anstimmte. Was das Hasi in der Kunsterziehungsstunde vollbrachte, wollte der Chirurgen-Papa gar nicht mehr hören. Er gab sich mit der Erklärung seiner Frau, daß sowohl die Zeiten als auch die Kinder immer schwieriger werden, zufrieden und beschloß, sich um die Schulnöte von Hasi nicht mehr zu scheren. Probleme hatte er schließlich genug. Da fand er es

effizienter, sich mit denen zu beschäftigen, die er lösen konnte. Seither hat der Chirurgen-Papa keinen Blick mehr in Hasis Hefte getan. Darum kann Hasi so beschwingt mit dem grünen Wisch herumwedeln. Daß etliche Kollegen dieses frivole Tun mit Neid verfolgen, merkt er gar nicht. Wie das ist, wenn man mit einem schlechten Zeugnis zu kleinkarierten Spießern heimkommt, kann sich Hasi nicht vorstellen. Schimpfen, sich aufregen, Taschengeld streichen, Ohrfeigen austeilen – für einen, der das alles nicht aus der Praxis kennt, besagt das kaum etwas. Christine steht auf und will zu Hasi hin. Sie hat das Bedürfnis, dem Wedeln mit dem grünen Wisch ein Ende zu machen. Manchmal muß man Hasi bremsen, damit er nicht entgleist. Das Gefühl dafür, wann eine Schau den Höhepunkt überschritten hat, geht ihm ab. Bevor Christine bei Hasi ist, hat der seinen Platz verlassen, ist auf den Lehrertisch geklettert, hat aus dem Zeugnis ein Sprachrohr gedreht und trompetet: »Zwei und zwei, Mädchen voran, die 6 A begibt sich in den Eissalon, und Haselmeier übernimmt die Rechnung!«
Daß auf die Zeugnisverteilung der Eissalon folgt, ist klar. Neu ist nur, daß ihn Hasi finanziert. Die Kollegen belohnen es mit beifälligem Gemurmel. Hasi klemmt sein Zeugnis-Sprachrohr zwischen die Zähne und schickt sich an, auf dem Tisch einen Handstand zu machen.
»Er wird sich noch den Schädel einhauen«, sagt Wolfgang. Er dreht sich zu Christine. »Und mit diesem Unzurechnungsfähigen willst auf Reise gehen?« Es ist nicht bös gemeint, Christine schaut ihn trotzdem wild an. »Pardon, gnä' Frau, ich sag ja schon kein Wort mehr gegen das Nagetier!« Wolfgang holt tief Atem und fährt fort: »Übrigens, was passiert denn eigentlich, wenn die alte Frau vom Nagetier bei deinen Alten anruft?«
»Warum sollte sie das?«
»Braucht nur keine Post vom Hasi kommen. Meine Alte, wenn die vom Skikurs nicht gleich am zweiten Tag eine Karte kriegt, klingelt die reihum alles an!«

»Deine vielleicht!« Christine findet es beleidigend, daß der Wolfgang sein heimisches Irrsinnsweib mit der Hasi-Mama vergleicht.
»Es kann ja auch purer Zufall sein«, spekuliert der Wolfgang. »Die alte Frau vom Hasi kann deine alte Frau beim Einkaufen treffen – oder sowas in der Preislage.«
»Meine Mutter geht nicht einkaufen. Außerdem fährt sie selber auf Abmagerungskur.«
Der Wolfgang gibt nicht auf. »Es kann ja auch meine Alte sein oder die von der Babsi. Stell dir nur vor, die Hasi-Mama trifft irgendwo auf eine der Mamas, deren Kinderln angeblich mit ihrem Bubi in Griechenland sind. Na, was meinst?«
Christine schüttelt unwillig den Kopf. Sie schaut zu Hasi hin, der gerade seinen Handstand beendet, das zerknautschte Zeugnis fällt ihm dabei aus dem Mund. Ganz rot ist er im Gesicht.
»Dem Hasi seine Alten fahren doch bald nach Mexiko«, sagt Christine. »Dort werden sie nicht zufällig auf eine unserer Mamas treffen. Und meine Eltern haben keinen Grund, irgendwo anzurufen!«
»O. K., O. K.«, Wolfgang seufzt. »Aber es sind schon besser eingefädelte Pläne aufgeflogen!« Er dreht sich um und geht zu seinem Platz.
Hochrotes und schnaufendes Hasi kommt zu Christine und legt einen Arm um ihre Schultern. »Was hat er von dir wollen?«
»Nichts«, wehrt Christine ab. »Blöd geredet hat er!«
Hasi läßt nicht locker. »Sag mir, was er wolln hat!« Aus seinen Augen funkelt Argwohn.
»Jetzt sei nicht vertrottelt!« Christine geht zu ihrem Pult, rollt das Zeugnis um einen Bleistift herum zu einer Rolle auf und steckt sie in die hintere Hosentasche.
Hasi sucht den Fußboden nach seinem Zeugnis ab und findet es verdreckt neben dem Papierkorb. Jemand muß draufgestiegen sein. »Verdammte Sauerei«, flucht er und wischt am Zeugnis herum.

Babsi lacht ihn aus. »Zuerst frißt es halbert auf, dann schmeißt es weg, und jetzt regst dich auf, daß es dreckig ist?«
»Hab mich gern, du Kuh«, sagt Hasi. Er faltet sein Zeugnis und verstaut es in der Hemdtasche.
»Hasi, jetzt komm schon!« Christine wird ungeduldig. Sie will endlich aus der Klasse und hinter denen her, die bereits auf dem Weg zum Eis-Salon sind.
Hasi hält sie an der Hand fest. »So wart doch«, sagt er. Hasi hält sie sehr fest. Es tut richtig weh. Christine bleibt vergrämt stehen. Die, die noch in der Klasse sind, nehmen ihre Sachen, stehen neben Hasi und Christine und warten auf den Aufbruch.
»Geht schon, wir kommen nach«, sagt Christine.
Die anderen lachen und fragen, ob sich Christine nicht von der Schule trennen kann, ob sie noch mit Hasi eine Abschlußandacht halten will, dann verlassen sie die Klasse. Kaum sind sie draußen, fragt Hasi wieder: »Sag mir doch, was der Wolfgang von dir wollen hat!« Er packt Christine am Arm. »Ich hab euch beobachtet. Meinst, im Handstand bin ich blind?«
Daß jemand auf sie eifersüchtig ist, ist für Christine eine neue Erfahrung, mit der sie nicht zurechtkommt. Rührend und lästig zugleich ist das. Christine seufzt. »Schwarzgesehen hat er halt wieder einmal! Er meint, deine Eltern werden dahinter kommen, daß wir nicht zu sechst wegfahren!«
Hasi zuckt mit den Schultern. »Ist mir auch wurscht, wenn wir erst einmal weg sind!« Hasi wirkt erleichtert. Hauptsache, keiner wollte ihm Christines Zuneigung rauben!
Christine ärgert sich. Dauernd denkt Hasi nur an sich selber. »Was meinst, was los ist, wenn deine Alten wirklich bei mir zu Haus anrufen«, sagt sie. »Könnt ja eigentlich sein. Noch bevor sie nach Mexiko fahren. Dann könnt der Teufel los sein. Aber dir ist das ja anscheinend wurscht! Du kannst dir ja nicht vorstellen, was ich dann zu erwarten hätt!«
»Meine Alten rufen garantiert nicht an bei euch, da kannst Gift drauf nehmen!«

Christine und Hasi gehen aus der Klasse.
»Wieso kann ich da Gift drauf nehmen?«
»Weil dein Vater Siegfried heißt!«
Sie gehen den Gang zur Treppe hin.
»Mein Vater ist kein Nazi! Wie oft soll ich dir das noch sagen, Hasi. Nur mein Großvater war einer!«
»Trotzdem!« Hasi hüpft auf einem Bein die Treppe hinunter.
»Er heißt Siegfried, und das genügt meinem Vater!«
»Meschugge!« sagt Christine.
»Alle, denen sie die Verwandten im KZ vergast haben, sind ein bissl meschugge.« Hasi stolpert. »Wirst ihnen ja wohl auch nicht übelnehmen, oder?« Er muß sich am Geländer festhalten. »Essen wir Birne-Helene oder Banana-Split?«
Christine sagt, sie mag überhaupt kein Eis. Sie wird nur ein Cola-Zitron trinken. Aber wissen will sie noch etwas. »Die Eltern von deiner Mutter waren doch auch Nazis. Dein Großvater war doch der, der die Leut angezeigt hat, wenn sie nicht Heil-Hitler gegrüßt haben. Das weiß ich genau, das hat mir mein Vater erzählt. Wieso hat dein Vater dann deine Mutter geheiratet?«
»Die war doch nie ein Nazi!« Hasi hüpft wieder auf einem Bein. »Die war damals ein Kleinkind!«
»Mein Vater auch!« ruft Christine.
Hasi springt über die letzten drei Stufen. »Ist doch ganz wurscht«, sagt er. Er lacht. »Aber wenn sie Siegfried heißen tät, hätt er sie sicher nicht geheiratet!«
»Du bist ein Trottel!« sagt Christine und küßt Hasi auf die Wange.
Der Schulwart, neben dem offenen Schultor, klatscht in die Hände. Er schreit: »Nix da, nix da, schmust's draußen, ihr Bagage!«
»Dieses auch!« sagen Christine und Hasi im Chor. Dem guten Mann zunickend, verlassen sie das Gebäude.

5. Juli

Im Vorzimmer, an die Garderobenwand gelehnt, liegt Christines gepackter Rucksack, rundherum eine Unzahl Plastiksäcke mit Bertis Gepäck. Die Frau steht beim Telefon und klagt in den Hörer. Es geht um zwei seidene Leibesumhüllungen, die ihr die Schneiderin noch vor der Abreise zur Kur machen soll. Aber die Schneiderin will selber abreisen. Die Frau jammert, daß sie doch auf die Schneiderin angewiesen sei, daß sie doch nichts »Fertiges« kaufen könne!
Christine sitzt im Türkensitz, zwischen der Frau und dem Gepäck. Sie schmiert Schuhcreme auf Sandalenriemen und flucht leise vor sich hin, weil die Riemen so schmal sind, auf den Fingern ist schon mehr Schuhcreme als auf dem Leder. Beunruhigt ist Christine außerdem, denn die Frau schaut, während sie telefoniert, dauernd zum Rucksack hin. Das kann natürlich bloß ein unkonzentriert schweifender Blick sein, es könnte aber auch sein, daß die Frau abseits ihrer Kleiderproblematik noch ein bißchen herumdenkt und sich fragt, warum man für eine Autoreise durch Italien einen Rucksack nimmt. Und wenn sie das Bündel neben dem Rucksack näher betrachtet, dann merkt sie, daß das ein Schlafsack ist. Das müßte der Frau verdächtig vorkommen. Christine verflucht sich, den Kram ins Vorzimmer geschleppt zu haben. Bis Berti heimkommt und sie die Sachen zum Auto tragen kann, können noch Stunden vergehen. Die Stimme der Frau verliert den Klageton, wird zärtlich und schnurrend. »Sie sind ein Engel, ich hab ja gleich gewußt, daß Sie ein Engel sind! Ich komme sofort hinüber!« Die Frau legt den Hörer auf und sagt zu Christine: »Sie hat nachgegeben, ich fahr jetzt zu ihr hin! Sie macht mir die Sachen!«
Seit es klar ist, daß Christine nach Italien fährt und die Frau nach Jugoslawien, herrscht Waffenstillstand zwischen den beiden. Der Nachbar hat sich kein einziges Mal mehr beschweren müssen. Christine war milde zur Frau und muß zugeben, daß

sich auch die Frau bemüht hat. Und nun bemüht sie sich wieder, holt ihre Kleiderstoffe aus der Tragtasche, fragt: »Meinst, passen sie zu mir?« Die Stoffe sind hübsch. Aber was paßt schon als Überwurf für einen Riesenknödel? »Schön sind sie«, sagt Christine. Die Frau stopft die Stoffe in die Tragtasche zurück und telefoniert um ein Taxi. Sie hängt das Handtaschenkrokodil über den Arm.
»Wann fahrt ihr?« fragt sie.
»Gegen sechs, hat der Berti gesagt.«
»Wo ist er denn jetzt?«
»Seine zwei Witwen trösten, eine nach der anderen.«
Die Frau malt sich vor dem Spiegel die Lippen rot. Sie lächelt. »Ja, ja, er ist ein schöner Bub. Ihr beide kommt ganz nach mir. Äußerlich, mein ich. Kein Fuzerl Hammer-Sippe!«
Das Taxi muß längst vor dem Haustor sein. Die Frau läßt Taxis immer warten. Das ist keine hochherrschaftliche Geste, ihr Zeitbegriff weiß mit so kleinen Einheiten wie Minuten nichts anzufangen.
»Der Taxifahrer wird dir wegfahren«, sagt Christine.
Die Frau nickt, schaut auf die Uhr. »Gegen drei bin ich wieder da.« Sie geht zur Tür, bleibt stehen, holt das Krokodil vom Arm, nimmt die Brieftasche heraus und zählt Scheine. Ihre Lippen bewegen sich dabei. Sie schließt die Augen. Jetzt rechnet sie. Beim Rechnen muß sie die Augen zumachen und die Umwelt komplett ausschließen. Sonst unterläuft ihr ein Rechenfehler. Die Frau nickt, öffnet die Augen, holt drei große blaue Scheine aus der Brieftasche und hält sie Christine hin. »Kauf dir was, in Italien gibt es schöne Sachen!«
Christine nimmt das Geld. Sie ist nicht darin geübt, der Frau Dank zu bekunden. Die Frau scheint es auch nicht zu erwarten. »Dann tschüß«, sagt sie nur und geht. Christine starrt die blauen Scheine an. Dreitausend Schilling. Das begreift sie einfach nicht. Das ist ein Betrag, den nur Klein-Siegfried vergibt. Sie hat überhaupt nicht gewußt, daß die Frau über solche

Beträge verfügt, zum Verschenken verfügt. Wenn man von ihr den Hunderter für den Elternverein eintreiben will, sagt die Frau: »Das hol dir vom Papa, das ist im Wirtschaftsgeld nicht drinnen!« Und wenn Berti ein paar Hunderter aus ihr rauslockt, kann man sie jammern hören: »Die nächste Woche gibt's nur Spaghetti!« Christine steckt das Geld in die Hosentasche und fragt sich, ob die Frau geheime Reserven hat, oder ob ihr die Frau in plötzlicher Zuneigung das Taschengeld für Rogarska Slatina geopfert hat. Dieser Gedanke macht sie beklommen. Aber die drei Blauen tun trotzdem wohl. Sie geben Sicherheit. Es ist nämlich noch nicht klar, wieviel Geld Berti herausrücken will. Klein-Siegfried hat ihm gestern eine Menge gegeben. Christine hat gemeint, ihr stünde die Hälfte davon zu, doch Berti hat hohngelacht. Klein-Siegfried nämlich hat das so berechnet: Benzinkosten, Doppelzimmer und Lebenserhaltungskosten. Das Benzingeld, hat Berti nachher erklärt, steht ihm allein zu. Und ein Einzelzimmer kostet mehr als ein halbes Doppelzimmer. Also gehört ihm auch davon ein größerer Anteil. Gestern abend war keine Möglichkeit, mit Berti ausführlich darüber zu streiten. Klein-Siegfried war zu Hause. Er hat sich verpflichtet gefühlt, vor der Abreise seiner Kinder Familienleben zu spielen. Vier Stunden hat er von seinen eigenen Jugendreisen erzählt. Ein richtiger Volkshochschul-Kurzlehrgang war das. Im Wohnzimmer ist er dabei auf und ab gegangen, ziemlich viel von einem Kikeriki-Hahn hat er an sich gehabt. Und ziemlich viel von einem Generalstabsmenschen. »La Spezia braucht ihr nicht!« Aber: »Siena muß man sehen! Das ist den Umweg wert!« Und Knabe Bruder, der Superschleim, der Listheuchler, der hat gelauscht, als nähme er jedes Wort von Klein-Siegfried auf wie die dürre Wiese den Regen. Schon möglich, daß dafür ein Extra-Blauer herausgeschaut hat. Auch möglich, daß Klein-Siegfried der seltene familiäre Redefluß gutgetan hat. Aber er war lächerlich. Und Berti war auch lächerlich. Das mag Christine nicht. Diesbezüglich reicht

ihr die Frau. Berti und Klein-Siegfried sollen sich gefälligst benehmen!
Christine steckt die Sandalen in die Schlafsackrolle, steht auf und will Hasi anrufen, ihn ermahnen, daß er ab achtzehn Uhr bereitsteht. Sonst dreht Berti durch und bringt sie nicht zur Süd-Autobahn. Berti fährt über die West-Autobahn. Und Berti hat es eilig. Er will vor Mitternacht am Brenner sein. Außerdem ist es angeblich ungünstig, am Abend Auto zu stoppen. Ganz geheuer ist Christine diese Autostopperei überhaupt nicht. Wenn einen dann niemand mitnimmt? Oder – verdammt noch einmal – wenn sie mit dem Hasi bei einer Raststätte steht, und dann kommt irgendein Wiener Bekannter vorbei und sieht sie? Jetzt fahren ja ganze Armeen auf Urlaub! Während sich Christine der Horror-Vision hingibt, daß der Mercedes, den sie und Hasi stoppen, Klein-Siegfried hinter dem Lenkrad hocken hat, sind Geräusche vor der Tür. Christine nimmt sie, da weder wer von der Familie noch Besuch zu erwarten ist, als Arbeitsgeräusche der tätigen Hausmeisterin. Doch dann steht auf einmal Berti im Vorzimmer. Vergrämt schaut er aus. Christine schließt aus seiner frühen Heimkehr und dem trüben Blick, daß er mit einer der Witwen Schwierigkeiten hat. »Na, Knabe Bruder«, fragt sie. »Kriegt eine ein Kind? Oder ist eine hinter den Engel Elfriede gekommen?«
Der Engel Elfriede ist die Dame, mit der sich Berti in Italien treffen will.
Berti horcht nach Radiomusik oder Fernsehnachmittagsprogramm. »Ist die Mama nicht da?«
Christine schüttelt den Kopf. Die Scheine in der Hosentasche hindern sie an jedem ihrer üblichen, ätzenden Kommentare.
»Gut«, sagt Berti, »ich muß nämlich mit dir reden. Komm in mein Zimmer!«
Das klingt sonderbar. Das riecht nach wirklichen Schwierigkeiten. Christine geht hinter Berti her und fragt sich, ob sie irgend etwas getan hat, was Knaben Bruder verärgert haben

könnte. Nein, hat sie nicht. Er muß selber Kümmernis haben. Die Kümmernisse müssen gewaltig sein, denn er zündet sich eine Zigarette an. Berti raucht nur in emotionell sehr negativ gefärbten Situationen. Vielleicht kriegt tatsächlich eine seiner zwei Damen ein Kind? Sowas soll auch im Pillenzeitalter vorkommen. Oder eine hat ihm den Laufpaß gegeben. Das kann schon mitnehmen, auch wenn man nur mit einem Drittel-Herz an ihr hängt. Aber nie im Leben würde er sie in sein Zimmer bitten, um ihr seinen Liebeskummer zu berichten. So intim sind sie miteinander auch wieder nicht.

»Mädchen, es tut mir wahnsinnig leid, aber ich mache es nicht!«

Berti ist wirklich kein Raucher, er inhaliert nicht, der Rauch quillt ihm in barocken Kringeln aus den Nasenlöchern.

»Was machst du nicht?« Christines Puls steigt weit über den Normalwert. Es ist völlig unmöglich, er kann es nicht meinen – aber eigentlich kann er nur meinen, daß er ihre Griechenlandreise nicht decken will!

»Ich muß verblödet sein, wie ich es dir zugesagt habe«, sagt Berti. »Total vertrottelt!«

Christine starrt Berti an. Sie weiß nicht, was sie sagen soll. Er kann sich die Sache doch nicht drei, vier Stunden vor der Abfahrt überlegen! Und fünf Ecken weiter sitzt ein Hasi auf seinem gepackten Rucksack!

»Ich kann die Verantwortung dafür nicht tragen! Stell dir nur vor, was alles passieren kann!«

»Nichts, gar nichts«, schreit Christine. »Nichts passiert!«

»Und wenn das Schiff, auf dem ihr nach Lesbos wollt, untergeht? Lach nicht so dumm! Jedes Jahr geht ein griechisches Schiff unter!« Knabe Bruder erregt sich immer mehr. »Oder ihr kommt beim Autostoppen an einen Wahnsinnslenker! Der bumst wo rein, und ihr liegt im Krankenhaus! Wie steh ich dann da? Was sag ich dann?«

Knabe Bruder ist ja wirklich ein Herzchen! Für den Fall, daß

sie im Meer absäuft oder im Wrack verbrennt, macht er sich Sorgen um sein »Da-stehn«. – Pfui Spinne! Das ist das letzte! Christine brüllt: »Du Schwein, das kannst du nicht machen!« Sie will noch eine Menge brüllen, aber die Stimme schafft es nicht, knickt ein, geht in Schluchzen über. In hilfloses Gewimmer. Sie kann Berti nicht zwingen. Sie hat kein Fuzerl Macht über ihn.
Berti sagt: »Natürlich ist es blöd von mir, daß ich meine Meinung erst jetzt geändert habe, aber immer noch besser im letzten Augenblick ›nein‹ sagen, als einen Heiden-Wahnsinn mitmachen. Und wohl war mir bei der Sache nie.«
Christine sucht nach einem Taschentuch. Berti hält ihr ein Papiertaschentuch hin. Christine schneuzt sich. Während sie sich schneuzt, kommt ihr die Erleuchtung. Böse schaut sie Berti an. Hämisch fragt sie: »Und was willst du jetzt tun? Willst vor Klein-Siegfried hintreten und ihm alles gestehen? Oder soll ich mich vielleicht ins Bett legen und tun, als hätt ich Grippe, damit ein Grund für mein Nicht-Mitfahren da ist?«
Berti gibt keine Antwort.
Christine drängt: »Wie willst denn plötzlich motivieren, daß du mich nicht mitnimmst, ha?«
Berti läßt einen letzten barocken Kringel aus der Nase, dämpft die Zigarette im Aschenbecher ab und spricht: »Mädchen, ich motivier einen Dreck! Ich nehm dich einfach wirklich mit!«
»Und was wird aus Hasi?« fragt Christine.
Berti seufzt. »Den Idioten pack ich auch ein. Was bleibt mir denn anders übrig. Verstanden?«
Christine versteht. Aber für eine Antwort ist sie zu sprachlos.

Hasi hat einem Glacélederhandschuh der Mama die Finger abgeschnitten, die Löcher hat er mit Garn zugenäht, durch die Handschuhstulpe hat er eine blaue Kordel gezogen. Hasi steht nackt im Badezimmer. Wie eine Halskette hat er die Kordel um. Wie ein Anhänger baumelt das Glacélederdings an der

Kordelkette. Da der Handschuh ein ellbogenlanger war und die Kordel sehr lang ist, hängt ihm das Lederdings wie ein riesiger Ersatzpimmel vor dem kleinen eigenen. Hasi betrachtet sich bekümmert im Spiegel und knüpft der Kordel eine Schlinge. Der Reservepimmel wird bis zur Taille geliftet. »Jetzt geht es!« murmelt Hasi. »Das haut hin!« So wird Hasi finanziell sicher durch Griechenland reisen. Wenn er seine Gelder im Reserve-Penis verstaut, kann man sie ihm nicht stehlen, und verlieren kann er sie auch nicht. Alle erfahrenen Tramper haben einen Safe um den Leib. Hasi nickt seinem Spiegelbild zu und schlüpft ins Hemd. Der Reservepimmel beult das Hemd aus. Dabei ist noch kein Geld drin. Wenn er alles, was ihm der Papa spendiert, die Mama extra zugesteckt und die Tanten und Onkel verehrt haben, in den Beutel tut, dann kriegt der glatt Erektionen. Das ist nicht nur häßlich, das ist auch verdächtig! Leicht schleicht sich da ein arbeitsloser Junggrieche mit dem Rasiermesser an und kastriert Hasi. Das Geld muß doch woanders hin! Aber wo tut einer, der in seinem sechzehnjährigen Leben schon ein Dutzend Brieftaschen, diverse Beutel und etliche Umhängetaschen verloren hat, seine Barschaft hin? Verteilen muß der! Überall einen Happen. Dann kann höchstens ein Teil wegkommen. Hasi rennt aus dem Badezimmer. »Nadel und Faden«, schreit er. Er will ins Wohnzimmer hinein, aber dort ist außer der Hasi-Mama noch Freundin Olga. Bei der Wohnzimmertür merkt Hasi, daß seine primären Geschlechtsmerkmale kaum vom Hemd verdeckt sind. So kann man der Olga nicht unter die Augen laufen. Er tritt den Rückzug an. Der kleine Bruder kommt ihm dabei in den Weg. »Benjamin, bitte hol den Nähkorb raus!«
Der kleine Bruder ist ein geborener Helfer. Er schleppt vier Nähkörbe in Hasis Zimmer, er fädelt dünnes Garn durch großes Nadelöhr und bestaunt verzückt, wie Hasi zwei Slips an den Rändern zusammennäht, so daß der eine Slip zum Futter des anderen wird. Und zwischen Unterhose und Unterhosen-

futter steckt Hasi zwei blaue Scheine, bevor er die Hosenränder komplett vernäht.
»Trägst du die jetzt den ganzen Urlaub über?« fragt Benjamin.
Hasi nickt zögernd.
»Da wirst du stinken«, sagt Benjamin.
Hasi schüttelt den Kopf, auch zögernd.
»Und wenn du sie verscheißt? Ich mein nicht richtig, nur schlecht ausgewischt?«
»Dann geb ich sie zur Dreckwäsche.« Hasi wird ungeduldig.
»In der Dreckwäsche sucht keiner nach Geld.«
Der kleine Bruder holt den Glitzerlumberjack. »Da geht viel rein, unter das Futter«, rät er. Eine Naht, die unter dem Armloch, ist ohnehin zerrissen. Hasi stopft Scheine hinein und vernäht die Naht.
Benjamin fragt sorgenvoll: »Und wenn du ihn wo hängen läßt?«
Hasi kratzt sich sinnend auf dem Kopf herum.
»Du verlierst doch immer alles!«
»Früher. Jetzt nicht mehr.«
Der kleine Bruder erinnert sich an die Turnschuhe, die Hasi vor zwei Wochen an der Parkbank hat hängen lassen, an den Super-Kugelschreiber, der schon wieder weg ist, an die drei familieneigenen Baskenmützen, die auch garantiert er verschlampt hat. Aber der kleine Bruder erwähnt das nicht. Es ist selten, daß ihn Hasi wohlwollend in sein Leben einbezieht. So rare Stunden soll man nicht mutwillig aufs Spiel setzen.
Während Hasi die Sommerschuhe daraufhin untersucht, ob unter der ledernen Schuheinlage Quartier für Geldscheine möglich ist, stapelt Benjamin alles, was sich Hasi an Mitnehmenswertem zurechtgelegt hat, zu einem Kubus. Und jetzt kann er doch nicht mehr stumm bleiben. Auf die Gefahr hin, den Bruder zu vergrämen, sagt er: »Das bringst du nicht einmal in drei Rucksäcken unter!«
Hasi ist nicht vergrämt, er ist überfordert. Er geht zum Textil-

kubus, schaut ratlos, tritt dann in den Haufen hinein, daß die Pullover, Hosen und Leiberln durcheinanderpurzeln und ihres artig gefalteten Zustandes verlustig gehen, und schreit: »Ich nehm überhaupt nichts mit! Den ganzen Scheißdreck laß ich da.«
Dann schränkt er ein. »Nur ein Leiberl und eine Hose pro Woche nehm ich. Und die Waschsachen!«
»Und die Medikamente«, ergänzt Benjamin. »Ohne die laßt dich der Papa nicht weg!«
Benjamin holt den schwarzen Aktenkoffer, der bei der Tür steht. Stolz erklärt er: »Ich hab dem Papa geholfen! Wir haben alles reingetan. Gegen Scheißerei und Fieber und Verstopfung und sämtliche Ausschläge und Stiche und Verbrennungen und überhaupt alles!«
Hasi klappt den Aktenkoffer auf, angewidert sagt er: »Wie wenn ich als Sanitäter ins Katastrophengebiet fliegn tät!« Aber schön, soll der Alte seinen Willen haben! Das ist eben sein Tick. Sooft einer in der Familie wegfährt, stopft er den Koffer voll. Irgendwas muß er mit seinen Gratis-Ärzte-Mustern wohl anfangen. Auf jeden Skikurs, in jedes Ferienlager haben sämtliche Hasenkinder den Aktenkoffer mitgeschleppt. Und schwer ist das Zeug ja nicht. Wenn Hasi noch ein paar elastische Binden raustut und die Flasche mit dem Kreislaufschwächesaft, bringt er spielend die Zahnbürste, die Seife und das Kontaktlinsenpflegemittel unter. O. K., ein Rucksack, eine Umhängetasche und ein Aktenkoffer sind tragbar. Dann hat er noch immer eine Hand zum Auto-Anhalten frei. Oder eine, um Christine behilflich zu sein.
»Und eine Schere brauchst. Für die Barthaare!« sagt der kleine Bruder.
Hasi überhört es. Daß seine Barthaare nicht rasierbar sind, stört ihn.
»Und dann die Regenjacke und den Schlafsack und den Foto!«
Hasi schaut sich verzweifelt um. Der Schlafsack liegt auf dem

Bett, riesig ist er, daunengefüllt. Hasi nimmt den Schlafsack und stopft ihn in den Rucksack. Der Schlafsack füllt den Rucksack prall aus. Hasi flucht.
»Du mußt ihn doch außen dranschnallen, Hasi!«
Es ist nervend, wenn der Stöpsel von einem Zwergenbruder dauernd klüger sein will! »Weiß ich selber, du Klugscheißer!« faucht Hasi.
»Warum hast ihn dann reingestopft?«
»Weil du mich nervös machst!« schreit Hasi. »Mußt unbedingt da bei mir herumstehen?« Hasi will den Schlafsack wieder aus dem Rucksack holen, irgendwo spießt sich das Ding, ein unangenehmes Geräusch deutet auf reißenden Stoff hin.
»Gib doch acht«, ruft Benjamin. »Sonst kommen die Federn raus!«
»Halt den Rucksack fest«, schnauft Hasi und zieht am Schlafsack.
Benjamin fragt: »Willst du nicht lieber die Mama packen lassen?«
»Verschwind, du Depp!« brüllt Hasi. Er kriegt den Schlafsack endlich frei und schaut nach, wo der Stoff gerissen sein könnte.
»Da!« Benjamin zeigt zum Zippverschluß.
»Jetzt hau schon ab!« Hasi hebt drohend einen Arm und ballt die Hand zur Faust. Der kleine Bruder weicht bis zur Tür zurück, sagt mit giftig verkniffenem Gesicht: »Ich weiß ganz genau, daß ihr gar nicht zu sechst wegfahrt. Die Schwester vom Helmut hat es mir gesagt. Nur du und Christine fahren!« Er streckt die Zunge raus und macht: »Bäääääh!«
Hasi fühlt, daß es vernünftig wäre, dem kleinen Bruder ein freundliches Wort hinzuwerfen, aber wenn die kleinen Dinge im Leben schiefgehen, der Schlafsack zerreißt, das Gepäck zu groß ist und die Geldverstecke so kompliziert sind, dann kann Hasi nicht vernünftig sein. Er nimmt das Ding, das seiner rechten Hand am nächsten liegt, einen Sommerschuh, und schleudert ihn zur Tür hin. Der Schuh trifft den Bruder an der

Schulter. Der kleine Bruder sagt: »So! Und jetzt sag ich es der Mama!«
Der kleine Bruder läuft aus dem Zimmer, Hasi rennt ihm nach. Knapp vor der Wohnzimmertür erwischt er ihn und hält ihn an den Haaren fest. Der kleine Bruder kreischt, als sei er in Lebensgefahr. Hasi versucht, ihm den Mund zuzuhalten. Der kleine Bruder beißt. Jetzt kreischt Hasi. Der kleine Bruder ist ein wackerer Kämpfer. Die Zähne tief in Hasis Hand vergraben, schleppt er Hasi ins Wohnzimmer hinein. Hasi, um einem noch größeren Schmerz zu entgehen, muß ihm folgen. Daß er nur mit dem Hemd bekleidet ist, vergißt er. Nicht einmal, daß die Dame Olga »Um Christi willen« sagt, hört er.
»Benjamin, laß Hasis Hand los«, ruft die Hasi-Mama.
Der kleine Bruder gehorcht folgsam.
»Da, da schau dir das an!« Hasi hält der Hasi-Mama die gebissene Hand hin. Er spürt, daß sich seine Augen mit Tränen füllen. Das dürfen sie aber nicht. Nicht, weil junge Herren nicht weinen sollen – das ist ihm jetzt komplett wurscht –, die Kontaktlinsen dürfen nicht davonschwimmen! Während Hasi tapfer gegen den Tränenfluß ankämpft, jault Benjamin: »Er hat mir den Schuh auf den Kopf geworfen, weil ich weiß, daß er gar nicht mit den anderen wegfährt. Er fährt mit seiner Geliebten allein!«
»Du Schwein!« schreit Hasi. Und dann: »Au weh!« Die gebissene Hand hat ihr Ziel, als das die Wange des Bruders gedacht war, verfehlt und gegen die Kante des Fernsehers geschlagen. Die Hasi-Mama ist um Fassung bemüht, sagt: »Hasi, zieh dir etwas über!« Sie wirft Hasi die Patchwork-Häkeldecke zu. Hasi wickelt sie um die Hüften. Hasi sagt: »Er lügt wie gedruckt! Kein Wort ist wahr, Mama!« Er dreht sich um und marschiert aus dem Wohnzimmer.
»Einen Moment, Olga«, sagt die Hasi-Mama und geht hinter Hasi her, folgt ihm in sein Zimmer, setzt sich auf sein Bett, schaut drein wie »Schwangere Braut, verlassen« und spricht:

»Johannes, mein Sohn, stimmt es nicht doch?«
Hasi gibt keine Antwort.
Die Hasi-Mama seufzt. Sie schaut auf die Uhr. Sagt: »Ich schau jetzt, daß ich die Olga wegbring, das ist ja peinlich, wenn die alles mitkriegt, das muß ja nicht sein.« Soweit die Hasi-Mama drohend schauen kann, tut sie es. »Bis die Olga weg ist, erklärst du mir das dann alles!« Die Hasi-Mama steht auf, schreitet dem wirren Kleiderhaufen zu, nimmt ein kariertes Hemd und murmelt: »Ist doch viel zu heiß für Griechenland!« Sie legt das Hemd wieder hin und verläßt das Zimmer. Hasi legt sich auf sein Bett, starrt zur Stuckdecke und überlegt, wie er seiner Mama sein Fehlverhalten erklären soll. Er sinnt lange. Keine in handliche Sätze zu verpackende Erklärung fällt ihm ein. Vom Vorzimmer her hört er gedämpftes Geschnatter. Die Dame Olga scheint sich zu verabschieden. Hasi schließt die Augen und wartet, daß die Mama zu ihm kommt.
»Trampel«, murmelt Hasi, weil draußen die Wohnungstür zufällt. Er meint es als Abschiedsgruß für die Dame Olga. Hasi verschränkt die Arme über der Brust. Wie eine Leiche ohne Sarg kommt er sich vor. Von der Wohnungstür bis zu seinem Zimmer sind es höchstens zehn Schritte. Eigentlich müßte die Mama schon da sein. So viel Zeit hat er nicht mehr, daß sie ihn da lange aufgebahrt liegen lassen kann. Sie wird ihn doch nicht etwa zwingen, zu ihr zu kommen? Bußreuig den Anfang zu machen? Nein, so ist die Hasi-Mama nicht. Sie ist ja schon da! Setzt sich auf die Bettkante und fragt: »Hat Benjamin die Wahrheit gesagt?«
Sie bekommt keine Antwort, seufzt, sagt: »Also hat er!« Und dann erklärt sie, daß sie dieses äußerst konsterniere. Und nicht etwa deshalb, weil sie sich betrogen-belogen vorkomme, neinnein, sie weiß schon, daß man den Eltern gegenüber hin und wieder Vorbehalte habe! Ihr Problem ist nur, Hasi möge das nicht falsch interpretieren, daß sie Hasi nicht für erfahren genug halte, um sich mit Christine allein auf die Reise zu

wagen. Sie habe auf den Helmut vertraut und auf die Traude gebaut. Die zwei seien ihr immer sehr erwachsen und umsichtig vorgekommen. Unter dem Geleitschutz hätte sie ihn halbwegs ruhigen Herzens freie Urlaubsschritte unternehmen lassen. Die hätten auf ihn geschaut und ihm beigebracht, wie man sich durch den Tourismus schlägt.
Da kann Hasi nicht mehr aufgebahrt bleiben. Milde Rüge hat er erwartet, Vorhaltungen wegen Vertrauensbruch, auch Mahnungen zur erotischen Lage, aber keineswegs hat er gedacht, daß sie ihn zum allerletzten Trottel erklärt, zum Fürsorgefall für die Kollegen. Hasi fuchtelt wild mit den Armen. »Dauernd willst du mir einreden, daß ich ein unfähiger Depp bin!«
Die Hasi-Mama steht auf und geht zum Fenster. »Du hast doch beim Autostoppen gar keine Übung«, sagt sie.
»Na und!« erregt sich Hasi. »Was hat denn das mit Übung zu tun. Stoppen hätt ich sowieso allein müssen. Oder zu zweit. Meinst, ein leerer Autobus hätt angehalten und uns zu sechst mitgenommen?«
Die Hasi-Mama weiß keine Antwort. Sie muß sich eingestehen, daß sie von diesen Dingen keine Ahnung hat. Daß sie bloß das Gefühl hat: Fünf Begleiter geben meinem Hasen mehr Sicherheit als eine einzige Christine! Doch vernünftig erklären läßt sich dieses Gefühl anscheinend nicht. Lahm sagt sie: »Trotzdem!«
»Was trotzdem? Wieso trotzdem?« Hasi merkt, daß die Mama am Nachgeben ist. Sie sagt ja immer, man darf nur Verbote setzen, die man ordentlich logisch begründen kann. Jetzt soll sie begründen, aber hurtig!
Die Hasi-Mama weigert sich. Sagt: »Da muß ich mit dem Papa reden!«
Hasi ist schockiert. Nicht, daß er vor dem Vater Angst hätte. Zum Angsthaben ist der Herr Vater in seinem Leben viel zu wenig vorhanden. Aber die Reaktion der Mama ist ihm neu. In Fragen der Kinderaufzucht gab sie sich bisher immer autark.

Noch nie hat sie »mit dem Papa reden« müssen. Nicht über die Schwester, nicht über Benjamin, nicht über Hasi.
Die Hasi-Mama geht zum Telefon. Alle Hasen haben ein eigenes Telefon im eigenen Zimmer. Tolle Apparaturen mit Drucktasten und Nummernspeicherung.
»Hast du den Papa gespeichert?« fragt die Mama.
Hat Hasi nicht. Warum auch. Der Chirurgen-Papa ist kein Papa, mit dem man während der Arbeitszeit einen Plausch abhalten könnte. Die Hasi-Mama tippt Ziffern ein, wird verbunden, fragt nach, wird weiterverbunden, fragt nach, lächelt, sagt, es sei dringend, legt dann den Hörer auf und sagt zu Hasi: »Er ist im Haus! Er wird gleich zurückrufen!«
Hasi sagt nichts. Die Mama geht wieder zum Fenster. »Hasi, das mußt du verstehen«, meint sie. »In diesem Fall geht es nicht um deine Psyche, dir kann wirklich was passieren. Natürlich, passieren kann einem immer was. Aber schließlich haben die Eltern die Verantwortung!«
»Wenn der Papa nein sagt, fahr ich trotzdem!«
Die Hasi-Mama kommt nicht dazu, Hasi Antwort zu geben, denn im Vorzimmer klingelt das Telefon. »Das wird der Papa sein!« Die Hasi-Mama läuft ins Vorzimmer, Hasi hört sie den Papa begrüßen, hört sie sagen: »Es ist wegen Hasi. Die andern dürfen nicht. Nur diese Christine darf. Da wären sie nur zu zweit. Findest du das nicht auch zu riskant?« Dann sagt sie: »Das erklär ich dir alles später!« Und: »Nein-nein, nicht in letzter Minute. Unser Hasi hat wieder einmal gemogelt!«
Dann hört Hasi eine Zeitlang überhaupt nichts. Ganz still ist es, und er fragt sich schon, ob die Mama vielleicht gar nicht mehr telefoniert. Endlich kommt die Stimme der Mama wieder. Sie sagt: »Wenn du meinst! Wenn du das so siehst!« Und wieder nach einer Weile: »Dann servus!« Es klingt nicht sehr freundlich.
Die Hasi-Mama kommt zurück. Sie geht zum Haufen mit dem Kleiderkram, sagt: »Na, dann packen wir ein! Dein Vater hat

mich als Gluckhenne bezeichnet! Ob du zu zweit oder zu sechst fährst, ist ihm scheißegal, hat er gesagt. Wenn ich mich weiter so benehme, bist du mit dreißig noch nicht reisefähig. Er wünscht dir alles Gute! Und Präservative sind im Aktenkoffer!«
Die Hasi-Mama leiert das herunter, als hätte sie es auswendig gelernt, als hätte es mit ihr und ihrem Sohn nicht das geringste zu schaffen. Sie nimmt in ihrem Zwiespalt die Meinung des Ehepartners zwar dankbar an, distanziert sich aber gleichzeitig von ihr.
Hasi springt auf, umarmt die Hasi-Mama, drückt ihr einen Kuß auf die Wange und ruft: »Lach doch! Schau nicht so sauer!«
»Ich hab aber Angst um dich«, murmelt die Hasi-Mama.
Hasi küßt die Mama wieder, er hebt sie hoch und preßt sie an sich. Jetzt überragt sie ihn um Haupteslänge. Hasis Nase liegt an ihren Brüsten. Hasi sagt: »Du riechst sehr gut! Ich liebe dich!«
Die Hasi-Mama zappelt mit den Beinen. »Laß mich runter, Hasi, wir müssen packen!« Die Mama lächelt. Hasi denkt: Die ließe mich jetzt auch eine Einmann-Nordpol-Expedition starten!

Bertis blauer Alfa-Sud hält vor dem Hasenhaus. Christine steigt aus und will ins Haus hinein, aber dann sieht sie, im ersten Stock, ganz links, bei einem Fenster den Benjamin, und bei einem Fenster ganz rechts die Hasi-Mama. Die beugt sich über das jugendstilverzierte Gesims und ruft: »Der Hasi kommt schon!«
Christine nickt ihr zu, geht zum Kofferraum und klappt den Deckel auf. Berti bestaunt das Hasenhaus, murmelt: »Manche Leute wissen halt zu wohnen!« Er zählt die Fenster zwischen Benjamin und der Hasi-Mama. »Haben die den ganzen ersten Stock?«

Christine nickt.
»Und wieviel Zimmer bewohnt dein Sozial-Sonderschul-Lehrer?«
Christine kommt nicht mehr dazu, dem Knaben Bruder mitzuteilen, daß Hasi nur ein Zimmer bewohnt, eines, um nichts größer als das von Berti, weil Hasi gerade das Haustor aufmacht. Der knallrote Rucksack zieht ihn nach hinten, die kuhlederne Jagd-Umhängetasche steht ihm, prall angestopft, wie ein Bauchladen von der Vorderseite weg. In einer Hand hat er Schwimmflossen, in der anderen den Medizinkoffer. Das Hasenhaustor ist mit Selbst-Schließmechanik ausgestattet. Hasi kalkuliert seinen Rucksackbuckel mit dem Daunenungetüm nicht ein. Die Tür klappt, ihrer Konstruktion gemäß, zu. Hasi, die Flossen, der Koffer und der Bauchladen sind auf der Straße draußen, der Riesenrucksack hängt in der halbgeschlossenen Tür fest, weil sich die Schlafsackrolle hinter der Tür breitmacht. Hasi zappelt und zerrt, scharrt wie ein Pferd, das Zucker will, tritt wie ein Ackergaul nach der Tür und kommt nicht frei.
Berti flüstert ergriffen: »Dieses ist ja nicht die Möglichkeit! Dieses ist ein Trugbild!«
Christine eilt zum Trugbild, drängt Hasi ins Haus zurück, stößt die Tür weit auf, hält sie fest und sagt: »Jetzt kannst durch, Hasi!« Hasi wankt erlöst ins Freie, dem Auto zu. Christine nimmt ihm das Gebirge vom Rücken und stopft es in den Kofferraum. Hasi will ihr Medizinkoffer und Bauchladen nachreichen, aber Christine kann das Zeug nicht mehr unterbringen. Hasi legt den Kram auf die Rücksitze und hockt sich daneben hin. Christine flucht, weil der Kofferraumdeckel nicht zugeht. Berti sagt: »Tu das Zeug raus!« Er zeigt auf Hasis Schlafsack. Hasi protestiert. Er meint, man soll den Kofferraumdeckel halt offen lassen. Die paar Kilometer, quer durch die Stadt bis zur Süd-Autobahn, die kann man auch so kutschieren. Es regnet ja nicht. Christine ignoriert den Einwand,

schnallt den Schlafsack vom Rucksack und schiebt ihn zu Hasi ins Auto. Berti sagt: »Hasemann, hock dich drauf, das hält's Popscherl warm!«
Hasi ist empört. So fest wie möglich haben die Mama und er das verdammte Ding zusammengerollt. Eine Heidenarbeit war das. Und jetzt ist die Arbeit zunichte gemacht! Nur, weil der blöde Kerl nicht fünfzehn Minuten mit offenem Kofferraumdeckel fahren will! Pedant, der!
Christine steigt ins Auto. Sie setzt sich neben Berti, weil ja neben Hasi der Riesenschlafsack ist. Berti sagt: »Wink schön, Hasemann!« Hasi streckt den Kopf beim Seitenfenster heraus und winkt der Mama. Er winkt, bis Berti um die Ecke gebogen ist, dann kurbelt er das Fenster hoch, beugt sich vor zu Christine und flüstert: »Du, ich hab heut allerhand erlebt!«
Christine dreht sich zu ihm. »Ich muß dir was sagen ...«
»Hör zu«, sagt Hasi, »zuerst bin ich dran! Der Trottel von einem Benjamin nämlich ...«
Christine unterbricht ihn. »Erzähl mir das später, Hasi. Ich muß mit dir reden!«
Aber Hasi ist nicht aufzuhalten. Er ist völlig davon überzeugt, daß es im Moment nichts Aufregenderes zu berichten gibt als Benjamins Verrat und Hasis Auseinandersetzung mit der Mama und seinen Triumph über ihre Ängstlichkeit. »Jetzt laß mich ausreden!« fordert er. »Ich war zuerst dran!«
O. K.! Wenn er es so haben will, dann soll er nur reden. Christine reißt sich wahrlich nicht darum, ihm Bertis Beschluß mitzuteilen.
Hasi legt los. Schildert mit Liebe zum Detail den ganzen Nachmittag samt Dame Olga und entblößtem Geschlechtsteil und gebissener Hand. Aber wie er den krönenden Höhepunkt der Sache, das Telefongespräch zwischen Mama und Papa berichten will, stockt er plötzlich. Es wird ihm klar, was ihn die ganze Zeit über schon leicht irritiert hat. Die Gegend ist es! Wo, verdammt noch einmal, fährt denn Berti hin! Sie sind ja über-

haupt nicht durch die Stadt gefahren, sondern gleich von daheim weg westwärts, sie brausen ja direkt auf die West-Autobahn zu. Sie sind ja schon am Zubringer.
»Na, Hasemann«, fragt Berti. »Wie hat sich denn dann der Herr Vater geäußert?«
Hasi glotzt aus dem Fenster, sieht in zehn Meter Abständen Rucksackmenschen mit bittend erhobenem Daumen. Die meisten haben Pappschilder um den Hals hängen. SALZBURG/MÜNCHEN steht darauf, oder eher unbescheiden PARIS oder sehr bescheiden ST. PÖLTEN! Na klar, sie treiben der West-Autobahn zu!
»Wo bringt uns denn der Berti hin!« erregt sich Hasi und rutscht auf den Hintersitzen herum.
Berti sagt: »Nach Bozen, Hasemann, geradeaus nach Bozen. Zuerst einmal!«
»Bist plem-plem«, schreit Hasi. »Wieso Bozen? Was wollen wir denn in Bozen? Christine, was ist denn los?«
Christine weiß nicht, wie sie dem Hasi in aller Ruhe – mit Berti daneben – den Sachverhalt erklären soll. »Ich wollte es dir ja schon die ganze Zeit sagen.« Sie stockt. »Aber du wolltest ja nicht zuhören. Der Berti nämlich ...« Sie stockt wieder. »Der Berti ...«
»Was ist mit dem Berti?« Hasi brüllt, weil sie gerade auf die Autobahn aufgefahren sind und einen scheppernden Laster überholen.
Wie sie dann am Laster vorbei sind, sagt Berti: »Hasemann, es ist an dem, daß ich mir die Sache überlegt habe. Ich kann euren verblödeten Plan nicht decken, aber weil ich ein edler Mensch bin und weil es mir unangenehm wäre, meinem Alten die Wahrheit zu sagen, nehm ich euch mit nach Italien. Va bene! Das ist die gesamte Tatsächlichkeit!«
Christine dreht sich zu Hasi, legt ihm die Hand auf die Schulter, sagt: »Heute um drei hat er mir das mitgeteilt. Und ich hab dich nimmer anrufen können, weil meine Frau nach Hause

gekommen ist. Ich hab dir das alles doch vor der Frau nicht sagen können!«
Hasi schweigt. Christine fragt ihn: »Was hätte ich denn tun solln, Hasi?« Und mit einem schiefen Blick auf Berti: »Ich kann doch nicht ahnen, daß er am letzten Tag noch durchdreht! Und zwingen kann ich ihn ja nicht!«
»Wahrlich, wahrlich nicht, kluges Mädchen«, murmelt Berti. Christine dreht sich wieder um, beobachtet den Verkehr, freut sich, daß Knabe Bruder ein schneller Flitzer ist, daß er alle andern, bis auf einen BMW und einen Mercedes, überholt und stellt fest, daß sie sich eigentlich sehr wohl fühlt, daß sie gar nichts dagegen hat, mit Knaben Bruder nach Italien zu fahren. Hasi schweigt weiter. Schweigt bis St. Pölten. Schweigt, obwohl sich Christine ein paarmal zu ihm dreht, ihn erwartungsvoll anschaut und bittet: »Sag doch was!« Bei Kilometer vierundsechzig kommt Hasi der Aufforderung endlich nach. Er beugt sich vor und brüllt Berti ins Ohr: »Aber meine Eltern wissen jetzt Bescheid! Ich darf ja allein nach Griechenland fahren!«
Berti verwahrt sich dagegen, daß man ihm die Ohren vollbrüllt. So kann er nicht lenken, das stört ungemein. Und er hat überhaupt nichts dagegen, erklärt er, daß Hasemann nach Griechenland abzischt. Beim nächsten Parkplatz schon kann er aussteigen. »Soll ich?« fragt er, demonstrativ langsamer werdend. Er verläßt die Überholspur und zockelt mit sechzig dahin. »Also, was ist?« fragt er.
»Nein, nein«, ruft Christine, »der Hasi bleibt da!«
»Ganz wie die Herrschaften meinen!« Berti gibt Gas, braust drauflos und stimmt das Lied: »Schnucki, ach, Schnucki, fahrn wir nach Kentucki« an. Christine bedauert, sich nicht doch neben Hasi gesetzt zu haben. Von vorne, ziemlich festgeschnallt, kann sie kaum mit ihm reden. Das Auto ist viel zu laut. Berti fährt verbotene hundertsechzig Stundenkilometer. Ab einer Geschwindigkeit von hundertzwanzig aber scheppert

der Kübel von einem Wagen zum Wahnsinnigwerden.
Knapp vor Linz erklärt Christine: »Berti, ich muß auf den Topf!« Erstens muß sie wirklich und zweitens ist das eine Chance, auf den hinteren Sitz zu kommen. Christine muß zu Hasi. Sie kann ihn nicht mutterseelenallein und vergrämt da hocken lassen. Knabe Bruder übersieht kühl lächelnd fünf Parkplätze mit »00«, weil er gegen jede Verminderung der Reisegeschwindigkeit ist. Erst als Christine androht, den schönen Veloursitz komplett zu durchnässen, peilt er den nächsten Parkplatz an.
Christine rast – jetzt muß sie tatsächlich schon unheimlich dringend – den braunen Klohütten zu. Sie hat die Auswahl zwischen einem versauten Plumpsklo mit Scheißestreifen auf dem Sitzbrett und einem noch verdreckteren Stehklo. Zerknüllte, braungefleckte Zeitungsfetzen liegen rund um die Klohäuseln, und es stinkt zum Kotzen, und riesige Schwadrone blaugrün schillernder Fliegen sind über dem Ganzen. Christine will die Sache hinter den Klos erledigen. Aber da steht schon ein feister Alter und pinkelt gegen die Häuselwand und schaut verstört zu Christine hin. »Pardon«, murmelt Christine. Sie sucht Zuflucht hinter einem Fliedergebüsch. Von der Autobahn her könnte man sie jetzt zwar sehen, doch darauf kann Christine keine Rücksicht mehr nehmen. Keine Minute länger wird ihre arme Blase dem Druck standhalten. Und jetzt klemmt der Hosenzipp! Christine reißt verzweifelt an ihm herum, zieht und zerrt, stöhnt, hat die schreckliche Vision einer Christine, angetan mit steif-nasser Jeans, flüstert sich zu, daß der Zipp ja völlig in Ordnung ist, daß sie bloß Ruhe bewahren muß, immer, wenn sie es eilig hat, kriegt sie ihn nicht auf, das ist bloß Nervosität – also, noch einmal: Zipp ganz hochziehen – Bauch einziehen, Hosentürl straff hochhalten – und dann den Zipp gelassen, locker und ruhig aufmachen. Natürlich, so geht es! Unten ist er! Christine hockt sich hin und seufzt erleichtert und läßt genußvoll die überschüssige Flüssigkeit rieseln und

gewahrt plötzlich, kaum zehn Zentimeter vor ihrer Nase, eine fette Spinne, die an einem dünnen Faden baumelt. Spinnen sind das allerletzte für Christine! Verschreckt weicht sie zurück und schreit »aua-au« und springt auf und hält sich mit beiden Händen den Hintern. Brandrot ist der Hintern. Durchs Brandrote arbeiten sich weiße Blasen durch. »Scheiß-Brennesseln, verdammte!« flucht Christine. Sie zieht die Hose hoch und tritt wütend die jungen Brennesseln, in die sie sich gehockt hat, zu Matsch. Der Hintern brennt und sticht, als säße sie auf einer Ofenplatte. Fluchend macht sie sich auf den Rückweg. Als sie bei den Klohäuseln vorbeikommt, steht dort der feiste Alte, der vorher die Klohinterseite verpinkelt hat, und fragt interessiert: »Was war denn, Fräulein? Hat Sie wer belästigt? Da soll nämlich einer sein Unwesen treiben!«
»Ich hab mich in die Brennesseln gesetzt«, sagt Christine.
Der Feiste lacht. Christine streckt ihm die Zunge raus und geht weiter. Der Feiste lacht noch lauter.
Bei den Abfallkübeln steht Hasi. Ein paar Schritte weiter parkt das Auto. Das Auto ist leer. Berti turnt an der Trimm-dich-fit-Stange. Christine will zum Auto hin, aber Hasi hält sie am Arm fest. »Ich muß mit dir reden«, sagt er geheimnisvoll. »Ich hab einen Plan!« Er zeigt auf Berti. »Irgendwo bei Kufstein dann will er Kaffeetrinken, hat er mir erklärt!«
Christine nickt. Dort rastet Knabe Bruder immer, wenn er nach Italien will. Dort ist das Kaffeehaus mit der rothaarigen Kellnerin, die Berti betreut, als wäre er ihr verloren-heimgekehrter Sohn.
»Das ist unsere Chance«, sagt Berti. »Während ihr im Lokal seid, tu ich, als müßt ich aufs Häusl, und hol unsere Sachen aus dem Wagen. Und dann kommst du, und dann türmen wir. Ich hab mir das überlegt. Wir fahren mit dem Zug nach Venedig. Und nehmen ein Schiff nach Griechenland. Ich hab Geld wie Heu, Christine!« Hasi lacht. »Und der Berti ist der Blöde!«
Christine schüttelt den Kopf. »Der Blöde bist du!« Sie lacht

bitter. »Einen größeren Gefallen als abzuhauen könnt ich ihm doch gar nicht machen. Der hängt sich ans nächste Telefon und teilt Klein-Siegfried in aller Unschuld mit, daß ich leider durchgebrannt bin. Dann hat sich die Sache für ihn!«
»Aber wir sind trotzdem längst über alle Berge, Schatz!«
»Hasi, dreh nicht durch!« Christine wird ungeduldig. »Wenn ich durchbrennen wollte, hätte ich das gleich von zu Hause aus können. Aber ich hab leider keine Hasi-Mama und keinen Hasi-Papa, die mir alles liebend verzeihen. Ich kann mir das nicht leisten. Bemüh doch einmal dein kleines bisserl Hirn mit meiner Lage!«
Hasi seufzt, sagt: »Entschuldige, ich bin blöd. Ich hab es nicht so gemeint. Es ist nur – ich hab doch so drauf gewartet, daß nur wir zwei allein zusammen sind.« Hasi zögert. »Es war ja deine Idee. Du wolltest ja mit mir allein nach Griechenland. Du hast ja gesagt, daß es ein Glück ist, daß die andern nicht dürfen! Ich wollt ja gar nicht autostoppen! Ich wollt fliegen, aber du hast gesagt, daß nur bürgerliche Scheißer jeten! Du hast dir alles ausgedacht! Und jetzt ist nichts!«
Christine greift nach Hasis Hand und hält sie fest. »Klar hab ich mir das alles ausgedacht«, sagt sie leise. »Aber es geht halt nicht. Da kannst nix machen, Hasi.« Sie streichelt seine Hand. »Das heißt: Du kannst ja weg. Du kannst überall hin. Nur ich muß bei dem Biest bleiben!«
Hasi schwört, daß er Christine nicht verlassen wird, mit ihr zusammen zu sein, ist das Wichtigste auf der Welt, nur darauf kommt es ihm an, alles andere zählt gar nicht. Hasi zieht Christine an sich und küßt sie.
Die Klohäuselbekanntschaft geht vorbei und ruft: »Na, Fräulein, brennt der Arsch noch?« Und Berti, eben von der Trimm-dich-fit-Stange hergelaufen, will wissen, wieso sich ein feister, alter Mann nach dem Gesäß seiner Schwester erkundigt.

6. Juli

Christine erwacht von scheußlichem Gehupe, Gekreisch und Geschrei und findet sich in einem gestreiften Zimmer vor. Gestreift ist das Zimmer deswegen, weil die Sonne, durch Holzjalousien gefiltert, ins Zimmer dringt. Christine liegt ganz still und überprüft ihre Grundstimmung. Heiter-gelöst-zufrieden, stellt sie fest. Jeden Morgen, seit Jahren schon, fragt sie sich erwachend ab. Das ist ganz wichtig für sie. Findet sie die Grundstimmung heiter-bis-zufrieden, kann nichts mehr schiefgehen an diesem Tag. Muß sie sich die Diagnose: bedrückt-bis-unwillig stellen, ist der Tag in Gefahr. Es kommt nämlich nicht darauf an, was einem widerfährt, sondern wie man es hinnimmt. An einem heiter-zufriedenen Tag ist es möglich, mit Hasi wildheulend zu streiten und dabei schon die Vorfreude auf eine kolossal köstliche Versöhnung zu spüren. An einem solchen Tag verlaufen auch die Kämpfe mit der Frau wesentlich gepflegter, und Prüfungen in der Schule – mögen sie nun gut oder schlecht ausgehen – sind ein Witz. Und den verlorenen Hunderter hat sicher einer gefunden, der ihn dringend nötig hat. An heiteren Tagen ist Christine auch ein Traum von einem Mädchen: Haare wie ein edel polierter Kupferkessel, Augen wie Radieschen, jawohl, wie Radieschen, wie aufgeschnittene Radieschen. Die sind genauso gemustert wie ihre Augen. Die Radieschen allerdings Weiß-in-Weiß. Ihre Augen haben ein grünes Radieschenmuster auf grauem Hintergrund. An heiteren Tagen bestaunt Christine wohlwollend ihre kleinen Brüste im Spiegel, erfreut sich der schmalen Taille, gratuliert sich zu den nervig-schlanken Händen, zollt dem Schwung der Waden zu den Fesseln hin Anerkennung und könnte die eigenen Zehen küssen, aus Dankbarkeit, weil sie zu den ganz seltenen, unverbildeten Exemplaren gehören. – An bedrückt-unwilligen Tagen aber ist Christine ein Alptraum von einem Weib, bestehend aus Nase mit Buckel, Kinn mit Mitesser, Kamelknien, Hänge-

popo und spitzen Ellbogen. Dann wird ein böses Wort von Hasi zur Katastrophe, der bloße Anblick der Frau hindert sie am Weiterleben, der Gedanke an eine Prüfung reizt zum Kotzen, und ein Fünf-Schilling-Stück, das nicht mehr im Hosensack drinnen ist, treibt in Existenzangst.
Christine setzt sich auf. Das Sofa unter ihr quietscht laut. Ein Irrsinnssofa ist das. Hart, kurz, schmal und oben derart gewölbt, daß man meint, auf einem Nudelwalker zu liegen. An einem bedrückten, unwilligen Morgen wäre das Sofa glatt einen koketten Gedanken an Selbstmord wert.
Christine schaut zum Doppelbett hinüber. Rührung überkommt sie. Hasi und Berti schlummern miteinander, eine Decke liegt am Boden vor dem Bett, die andere haben sie quergenommen und brüderlich geteilt. Hasi nuckelt an seinem Daumen. Berti hat besitzergreifend ein angezogenes Bein auf Hasis Hüfte liegen. Daß sich die beiden nicht ausstehen können, scheint in diesem Augenblick nichts als ein Mißverständnis zu sein. Christine betrachtet die beiden Köpfe auf dem einen, großen Kissen. Natürlich! Berti ist eindeutig der schönere. Aber Berti ist immer eindeutig der schönere. Da müßte schon die Metro-Goldwyn-Meyer mit einem Düsenjet voll Nachwuchsfilmherren anbrausen, um Berti auf den zweiten Platz zu schieben. Und nicht einmal das ist sicher. So schön sind die Film-Menschen in Wirklichkeit gar nicht. Hat einer einen schönen Kopf, ist er meistens ein Zwerg, der auf einem Stockerl gefilmt wird. Hat einer eine gute Figur, müssen sie ihm die Eckhauer zurechtfeilen. Die Bäuche zwängen sie in Mieder, am Schädel haben sie Perücken, die Kinngrübchen kriegen sie eingenäht, und die Nasen werden ihnen abgezwickt! Die schlägt Berti noch um Meilen!
Christine läßt sich wieder aufs Sofa zurückfallen, das Sofa quietscht, Christine schließt die Augen und denkt an den gestrigen Abend. Um elf sind sie nach Bozen gekommen, zwölf Hotels haben sie nach freien Zimmern abgefahren, im drei-

zehnten haben sie endlich ein Doppelzimmer mit »Liege« ergattert. Da war es schon Mitternacht. Und Hasi war zu müde, um sich lang darüber auszulassen, daß ihm mit Christine das Doppelzimmer allein zusteht. Er hat zwar den Vorschlag gemacht, Berti möge weiterziehen und in einem vierzehnten Hotel nach einem Bett fragen, aber ein simples »Hasemann, plemplem« hat ihn gähnend verstummen lassen. Und im Zimmer dann, da war er plötzlich mit Berti völlig einer Meinung. Der Meinung nämlich, daß Personen, die mehr als einen Meter und achtzig Zentimeter messen, nicht auf dem Nudelwalker nächtigen können.
Christine spürt knurrenden Hunger. Ihr kleiner Magen hat gestern nachmittag in Kufstein die letzte Nahrungszufuhr bekommen. Christine steht auf und geht ins Badezimmer. Anerkennend nickt sie den blauen Fliesen, den weißen Badetüchern und dem Riesenspiegel zu.
Das Badezimmer hat ein großes Fenster. Christine macht die schräggestellten Fensterläden ganz auf und schaut in blitzblauen Himmel über einem sehr nahen, freundlichen, grün bewachsenen Berg. Eine rote Seilbahngondel und ein gelber Drachenflieger sind auch im Blitzblauen. Und was den freundlichen Berg so grün macht, müssen Weinstöcke sein, oder Apfelbäume. Irgendwas jedenfalls, das wert ist, mit Unmengen Wasser besprüht zu werden; denn Dutzende Spritzbrunnen sind über dem Grünen. Und jeder hat ein kleines Stück vom großen Regenbogen in sich. Schön ist das. Aber noch viel schöner ist, was sich direkt unter dem Badezimmerfenster tut. Da sind nämlich, zwischen Kübeln mit rosa Oleander, rotgedeckte Frühstückstische und orangefarbene Sonnenschirme. Eine schwarzgewandete Frauensperson schiebt einen Rollwagen durch die Tischreihen und sammelt schmutziges Geschirr und Essensreste ein. Und ein weißgewandeter Mann trägt ein Tablett mit Tassen, Kannen und Aufschnittplatten herum. Christines Magen knurrt laut. Immer, wenn Christine etliche

Zeit von der Frau weg ist, knurrt ihr Magen. Nur der Anblick der fetten Frau läßt keinen Hunger aufkommen.
Christine zieht das T-Shirt, das ihr als Nachthemd dient, aus und stellt sich unter die Dusche, versucht, wasserumrauscht, zu klären, was wünschenswerter ist: Ein Tagesbeginn mit 3-Stern-Badezimmer und der Gewißheit, demnächst ein kolossales Frühstück zu essen und einen Veloursitz im Alfa im Abonnement zu haben, oder ein Schlafsackmorgen mit Aussicht auf eine Raststättensemmel und Beuteltee.
Christine kommt zu keinem Schluß in bezug auf das Wünschenswerte. Sie befühlt ihren Hintern. Ofenheiß fühlt er sich nicht mehr an. Aber blasig und rot muß er doch noch sein; sie spürt Unebenheiten, Hügel und Klüfte. Morgen werden sie am Meer sein. Bis morgen müssen die Brennesselrückstände verschwunden sein. Ihr Bikini ist zu winzig, um das Zeug zu verdecken. Christine widersteht dem Bedürfnis, am juckenden Popo herumzukratzen. Sie dreht die Brause ab und erklimmt den Badewannenrand, damit sie ihren Hintern im Spiegel betrachten kann. »Pfui Spinne«, murmelt sie. Der Hintern ist ja weit röter und blasiger als sie gedacht hat. Da muß eine lindernde Salbe drauf. Hasi schleppt garantiert sowas im Medizinmann-Musterkoffer herum.
Christine, in Unkenntnis dessen, daß Hasi im Medizin-Schrank die Waschartikel aufbewahrt, schaut sich gar nicht im Bad um, sondern tappt zu den friedlichen Schläfern hinaus und durchsucht das Zimmer. Abgetrocknet hat sie sich nicht. Ihre Füße hinterlassen dunkle Spuren auf dem hellen Teppichboden, und als sie sich bückt, um auf Bertis Bettseite, unter seinem Kleiderhaufen, nach dem Koffer zu suchen, knurrt Berti unwillig und richtet sich auf. Er greift sich an die wasserbespritzte Wange und fragt: »Regnet da wer? Oder was?«
»Entschuldige«, flüstert Christine, »das kommt von meinen Haaren, ich hab geduscht. Weißt du, wo der Medizinmann-Schrank ist?«

Berti weiß nicht einmal, daß ein solcher im Raum sein sollte.
»Der schwarze Koffer. Da sind lauter Medikamente drinnen«, sagt Christine leise.
Berti gähnt. »Na, sowas?« staunt er. »Und ich hab gedacht, da führt er sein Leichenhemd und eine Bibel mit sich!« Er gähnt wieder. »Bist krank?«
Christine zeigt ihm den Hintern.
»Scharlach rektal«, sagt Berti. Und dann: »Schmier nix drauf, das vergeht doch von selber!«
Christine erklärt, daß sie unbedingt etwas draufschmieren muß, weil es juckt. Und wenn es juckt, dann muß sie kratzen, und wenn sie kratzt, dann kriegen die Blasen Junge.
»Der Koffer ist im Badezimmer. Hinter der Tür, glaub ich.«
Berti schwingt die Beine aus dem Bett.
»Knabe Bruder«, mahnt Christine, »das Badezimmer gehört noch mir, ich bin noch nicht fertig!«
Berti latscht auf das Badezimmer zu. Christine erreicht die Badezimmertür vor ihm. Christine will die Tür zumachen, Berti stellt einen Fuß zwischen Türstock und Türblatt. Christine vergißt völlig, daß dem schlummernden Hasen zuliebe geflüstert werden soll. »Ich muß mich fönen«, schreit sie. »Wenn mir die Haare so auftrocknen, dann hab ich einen Afrolook!«
»Soll ich derweil in die Vase pinkeln?« Berti reißt ihr die Tür aus der Hand. »Raus mit dir!« sagt er.
Das kann ein Trick sein. Damit er das Bad für sich hat. Nein. Das ist kein Trick. Er muß wirklich auf den Topf. Unter der Trikothose zeichnet sich der prall aufgerichtete Pimmel ab. Es kann aber trotzdem ein Trick sein. Zuerst geht er auf den Topf, und dann hält er die Festung. Christine ist da vorsichtig. Ihr Lebtag lang führt sie mit Knaben Bruder den morgendlichen Badezimmerkampf. Vorige Woche erst, flehend hat er erklärt, er braucht nur ein Alka-Seltzer aus dem Alibert, und als sie ihm dann die Tür aufgeriegelt hat, ist er schnurstracks zur Hand-

brause und hat sie aus dem Badezimmer rausgespritzt. Obwohl sie schon total angezogen war.
Christine geht nicht aus dem Bad. Sie hockt sich auf den Wannenrand und zeigt zur Klomuschel. »Bitte, bedien dich!«
Berti zögert. Christine wiederholt: »Bedien dich und verschwind!«
Berti sagt: »Sowas von einem perversen Kind!« Dann klappt er den Klodeckel hoch.
Christine schaut aus dem Fenster, in den blitzblauen Himmel. Kein Drachenflieger und keine Gondel sind zu sehen. »Schon komisch«, sagt sie. »Wenn ich dir zuschau, komm ich mir blöd vor. Und wenn ich extra wegschau, komm ich mir auch blöd vor. Hat man mich diesbezüglich verquer erzogen?«
Berti drückt den Spülungsknopf und klappt den Deckel zu. »Natürlich haben sie uns unnatürlich traktiert.« Berti lacht. »Dabei sind wir ohnehin schon drei Schritte weiter als unsere Vorvorderen, Mädchen. Klein-Siegfried wird rot, wenn er dich nackend erspäht.«
»Sieht er mich doch nie!«
»Eben, eben, Mädchen! Das kann ja kein Zufall sein.«
Berti schaut aus dem Fenster, sieht die geschäftigen Frühstücksservierer und kriegt es mit der Angst, daß die von der Hoteldirektion anberaumte Frühstückszeit bald zu Ende sein könnte. Er schlägt ein gemischtes Kosmetik-Doppel vor. Seufzend ist Christine einverstanden. Sie holt lindernde Creme aus dem Medizinmann-Schrank und salbt den Hintern. Sie putzt Zähne und tuscht Wimpern. Sie glänzt Lippen und sprayt Diorissima. Und zwischendurch striegelt sie immer wieder mit dem Fönkamm die schulterlangen Kupferhaare glatt. Schon die Tatsache, daß man einen Fön ohne die geringste Schwierigkeit in einem Auto transportieren kann, ist als positiv für die gutbürgerliche Reiseart anzumerken. Ohne Fön wäre sie wirklich wie der letzte Mensch dagestanden!
»Hinter den Frühstückstischen, glaub ich, ist ein Schwimmbas-

sin«, gurgelt Berti in die Dusche hinein. »Willst du?«
»Willst du?« fragt Christine, und Hasi, im himmelblauen Nacht-Spielhoserl, verstruwwelt und kurzsichtig zwinkernd in der offenen Badezimmertür stehend, fragt: »Was will wer?«
Irritiert stellt Christine fest, daß sie Hasis plötzliches Auftauchen irgendwie stört, daß sie ihn gern noch schlummernd gewußt hätte. Dieses ewige Hinterherfragen nervt sie. Sie geht aus dem Bad. Sie macht den Koffer auf und kramt herum. So ein Koffer ist doch praktischer als ein Rucksack. Gut, daß sie gestern nach dem Streit mit Berti noch umgepackt hat.
Christine holt einen Mini-Bikini aus dem Koffer heraus und eine Handvoll Seide. Grün-grau gemusterte Seide. Genau in den Radieschenaugen-Farben. Die Rehatschek hat wirklich recht gehabt. Reinseide der guten Sorte knittert nicht! Christine zieht den Bikini an und darüber den reinseidenen Hauch von einem Flatterding, das ihr die Rehatschek aus London mitgebracht hat. Ein merkwürdiges Gefühl ist das. Das letztemal hat sie vor einem halben Jahr, am Christtag, ein Kleid angehabt. Als Weihnachtsgeschenk für die Uralt-Hämmer. Damit die Großmutter nicht wieder jammern mußte: »Es ist doch so schade um die hübschen Beine!« Und damit der Großvater nicht wieder behauptete, Hosentragen vermindere die Fähigkeit zum Kinder-Austragen. Weiß der Teufel, wo er das stur-verkalkt herausgelesen hat. Wahrscheinlich verwechselt er es mit den hodendrückenden Jeans, die die Zeugungsfähigkeit angeblich beeinträchtigen.
Berti kommt aus dem Bad. »Gnädigstes Mädchen heute ganz à la Vogue!« staunt er. »Die Verpackung kenn ich ja gar nicht!«
»Von der Rehatschek zum Geburtstag, Knabe Bruder!«
Berti kniet vor einem seiner Nylonsäcke nieder. »Mädchen, dann wollen wir nicht hintanstehen!« Er holt ein Hemd aus dem Nylonsack, von dem Naivlinge annehmen könnten, es sei aus Jute statt Plastik gefertigt. Nur Kenner erahnen die Mühsal der emsigen Seidenraupe in jedem Gewebsfaden. Berti sagt:

»Von der lieben Mama, ganz ohne Geburtstag!« Er schlüpft ins Hemd, steigt in die alte Jeans und spricht: »Mädchen, das ist die wahre Schickeria! Oben Snobhemderl, unten Arbeitshoserl!«
Christine nickt ihm wohlwollend zu, fragt dann: »Braucht das Hasi noch lang?«
Berti verzieht den Mund und hebt die Schultern. »Er setzt sich die Glasaugen ein. Wenn er zum zweiten nur annähernd so lang braucht wie zum ersten, dann kann es noch lang dauern.«
Aber Hasi ist schon da und klagt, daß sich Christine und Berti »stadtfein« gemacht haben, daß er da mit seinem lächerlichen Rucksackinhalt nicht mit kann, daß er aber nicht gewillt ist, wie der arme Dödel vom Land neben ihnen herzulatschen. Doch plötzlich schreit er: »Schmarrn-schmarrn! Euch schlag ich noch um Längen! Ich hab ja Alma, die Handschuhlederne, im Rucksack!« Hasi kippt den Rucksack und beutelt. Unterhosen, Hemden und Taschentücher fallen heraus, dann folgt Alma, die Handschuhlederne. Und die ist wahrlich nicht zu schlagen! Die hat der Schneider vom Hasi-Papa, der nicht nur Primarii und Minister, sondern auch Solotänzer und Sänger verkleidet, für Hasi aus feinstem Fensterputzleder gefertigt. »Na«, sagt Hasi voll Triumph und hebt Alma hoch, »na, bin ich damit nicht auf jedem Schwulenkränzchen Kaiser?« Er lacht. »Der Schneiderfloh hat gesagt, die soll man ohne Unterhose tragen. Haut auf Leder, das gehört sich so!«
Diesem Schneiderrat kommt Hasi jedoch nicht nach. Ganz im Gegenteil. Er nimmt die Unterhose von gestern. Die, die mit den zwei Blauen gespickt ist. Berti und Christine halten es für anerzogenes Schamgefühl, daß Hasi mit Hose und Unterhose im Bad verschwindet, aber Hasi will bloß das Geheimnis des Unterhosensafes hüten. Er ist sich nicht sicher, ob die zwei seine Geldgebarung gutheißen würden.
Aus dem Badezimmer zurückgekehrt, vervollständigt Hasi sein Äußeres durch ein schwarzes Leiberl, dessen Kanten de-

zent und weiß mit einer Zierleiste aus »Christian Dior« gebortelt sind.
»All systems got?« fragt Berti.
Christine nickt. Hasi nickt. Sie verlassen das Hotelzimmer.
Zum Lift hin marschierend, stoßen sie auf zwei alte Damen.
Kaum sind die zwei alten Damen an ihnen vorüber, sagt die eine, mit der lauten Stimme der Schwerhörigen: »Drei wirklich schöne junge Menschen!«
Gegenüber vom Lift hängt ein riesengroßer Spiegel. Berti, Christine und Hasi stellen sich vor dem Spiegel auf, als sei dieser der Firmungsfotograf. Im Chor sagen sie: »Drei wirklich schöne junge Menschen!« Und dann lachen sie. Lachen so laut, daß sich die zwei alten Damen, jetzt schon am anderen Ende des Flurs, obwohl schwerhörig, erschrocken umdrehen.

7. Juli

Es ist so heiß, daß die großen Eisstücke schon auf linsenkleine Dinger zergangen sind, bis der Kellner die Colagläser auf den Tisch gestellt hat. Christine stöhnt: »Hasi, ich komm um!«
Hasi hat nichts gegen die Sonne und nichts gegen die Hitze einzuwenden. Hasi schwitzt nicht einmal. Hasi fühlt sich wohl.
»Steck dir die Haare hoch!« rät Hasi. »Da wird dir kühler.«
»Ich hab keine Haarnadeln!«
»Nimm ein Bandl.«
»Ich hab auch kein Bandl!«
Hasi holt den Schuhriemen aus seinem linken Tennisschuh und reicht ihn Christine.
»Kannst denn so gehen?« fragt sie.
»Ab jetzt geh ich überhaupt bloßfüßig.« Hasi schlüpft aus den Schuhen und zieht die Socken aus. »Das ist nämlich gesund.«
»Aber nur auf der Wiese!«

»Macht nix! Aber angenehm ist es.«
»Dann gib mir das zweite Bandl auch noch!«
Christine flicht sich zwei kurze, dicke Zöpfe über den Ohren und bindet sie mit den roten Schuhbändern ab. Hasi betrachtet sie hingerissen. Christine bemerkt den bewundernden Hasenblick. Sie ist an diese Blicke gewöhnt. Sie tun ihr trotzdem immer wieder wohl. Hasi legt Christine einen Arm um die Schultern. »Nicht«, stöhnt Christine, »es ist so heiß!«
Hasi zieht seinen Arm zurück und schaut gekränkt. Wenn man wirklich liebt, dürfte die Temperatur keine Rolle spielen. Wenn man wirklich liebt, tut einem der Arm des Geliebten auch in Höllenhitze gut.
»Ich möcht endlich ins Wasser kommen! Wo bleibt denn der Depp so lange?« sagt Christine.
Das tröstet Hasi wieder. Tut ihm wohl. Gut, daß sie den Knaben Bruder einen Deppen schimpft. Der Bruder soll ihr gemeinsamer Feind sein. Viel zu nett-lieb-friedlich-freundlich hat Christine in den letzten zwei Tagen mit ihm verkehrt.
»Vielleicht kriegt er keine Verbindung mit seiner Brummhummel?« meint Hasi. Er meint es tatsächlich bekümmert. Hasi hofft auf diese »Brummhummel«. Wenn die endlich da ist, dann wird ihr ja wohl Berti seine ungeteilte Aufmerksamkeit zuwenden. Dann ist es finito mit Mädchen-hin, Mädchen-her und Knabe-Bruder-hin, Knabe-Bruder-her! Dann hat Hasi seine Christine endlich für sich alleine.
»Kann der Berti denn italienisch?« fragt Hasi.
Christine murmelt, daß Berti kaum Italienisch kann, aber um Brot zu kaufen, Zimmer zu mieten und Spaghetti zu bestellen, reiche es.
Hasi will wissen, wie er denn dann mit der »Brummhummel« verkehrt. »Reden sie englisch? I love you, Signora?«
Christine sagt: »Die ist doch eine Wienerin! Die hat nur nach Italien geheiratet. Er hat sie in Wien kennengelernt, wo sie ihre Eltern besucht hat!«

Hasi erklärt, er versteht nicht, daß Berti mit einer verheirateten Frau etwas anfängt; noch dazu mit einer, die ein Kind hat. »Wie schaut denn die überhaupt aus?« fragt er.
Christine kann zum Aussehen der Signora nicht viel sagen. Sie hat nur ein Bild von ihr gesehen. »Blond ist sie. Und recht schlank. Hübsch. Wenn das Bild nicht geschmeichelt ist. Und sehr jung noch, glaub ich. Für eine Frau, die ein Kind hat.«
»Mag sie ihren Mann nicht?« erkundigt sich Hasi rügend.
Christine findet die Frage so indiskutabel, daß sie keine Antwort gibt. Sie trinkt Cola. Sie schaut nach Berti aus. Sieht ihn aus dem Postamt herauskommen. »Na endlich«, sagt sie.
Berti kommt über die Straße und setzt sich zu ihnen. »Alles geritzt«, verkündet er. »Elfriede, mein Engel, hat alles vorbereitet. Wir haben ein Haus. Ein ganzes Haus. Und für euch ist auch gesorgt. Wir wohnen oben. Ihr kriegt unten was! Und von der Blumenfrau hol ich jetzt die Schlüssel. Die muß da vorn sein ...« Berti zeigt die Straße hinunter. »Ich bin in ein paar Minuten da! Zahlt inzwischen!«
Berti wieselt die Straße hinunter, und Hasi schaut ihm nach und spürt Groll in sich hochsteigen. Wie ein Feldherr führt er sich auf! Schafft herum, arrangiert, ordnet an! Hasi teilt seine diesbezüglichen Beschwerden Christine mit. Die gibt vor, ihn überhaupt nicht zu verstehen. Hasi ruft nach dem Ober. Der winkt ihm freundlich zu und geht weiter seines Servierweges. Hasi wartet, bis der Ober wieder naht, ruft: »Pagare, prego!« Der Ober winkt huldvoll und kommt nicht. Hasi holt einen großen Lireschein aus der Hosentasche und wedelt damit. Der Ober betrachtet – im Vorbeigehen – den Geldschein wohlgefällig. »Il conto per favore!« schreit Hasi hinter ihm her.
Dann kommt Berti zurück, sieht den Geldschein schwenkenden Hasi, vertritt dem Ober den Weg, der Ober bleibt tatsächlich bei ihm stehen. Berti zeigt zum Tisch von Hasi und Christine, der Ober nickt und nimmt einen Geldschein von Berti entgegen, gibt Münzen heraus, verbeugt sich und eilt weiter.

»Komm«, sagt Christine zu Hasi. »Steck das Geld ein. Berti hat es schon erledigt!«
Berti hat es schon erledigt! Wie sie das sagt! Abfällig! Richtig abfällig! Als ob er der letzte Trottel wäre! Hasi steckt das Geld ein, nimmt seine Schuhe in die Hand und wandert hinter Christine auf Berti zu. Der zeigt ihnen etliche Bund Schlüssel und deutet dann den steilen Hang zur Burg hinauf. Er erklärt, daß das gemietete Haus auf halber Hanghöhe ist, daß man mit dem Auto dort nicht hinfahren kann, weil das zur Altstadt gehört und die Gassen nur zwei Meter breit sind und lauter Stufen haben, und daß er froh ist, überhaupt einen Parkplatz gefunden zu haben, und daß sie jetzt ihr Gepäck hinauftragen werden.
»Nein«, protestiert Christine. »Gehn wir jetzt baden. Tragen wir das am Abend hinauf. Wenn es nicht mehr so heiß ist!«
Berti ist dagegen. Wer in Italien sein Gepäck im Wagen läßt, ist selber dran schuld, wenn es am Abend nicht mehr vorhanden ist, behauptet er.
Natürlich und genau! Italiener stehlen! Nichts als Vorurteile hat der Kerl hinter seiner edel gewölbten Stirn! Und Christine schaut ihn auch noch gläubig nickend an. Die merkt einfach nicht, wie rassistisch-faschistoid ihr Knabe Bruder ist.
»Bist anderer Ansicht, Hasemann?« fragt Berti.
Hasi murmelt Unverständliches.
»Was sagst, Hasemann?« fragt Berti.
Hasi schreit: »Sag nicht dauernd Hasemann zu mir! Und red nicht so gemein über die Italiener! Du Faschist, du!«
»Was?« Berti schaut Hasi interessiert an. »Spinnst – oder was? Ich hab doch überhaupt nichts gegen die Italiener gesagt!«
Sie gehen zum Auto hin. Berti holt das Gepäck aus dem Kofferraum. Christine flüstert Hasi zu: »Pfui Spinne, Hasi! Du bist ein Ekel!«
Hasi sagt laut: »Er hat behauptet, die Italiener brechen alle die Autos auf.«
Berti lacht. »Hasemann, nicht die Italiener. Die arbeitslosen

Italiener. Verstehst? Die finden nichts dabei, sich von ein paar gestopften Binkeln die Überschußgüter zu holen.«
»Recht haben sie!« schreit Hasi.
»O. K., O. K.!« grinst Berti. »Dann laß eben deinen Kram hier.«
Christine schaut bekümmert zum Hügel mit der Burg hinauf. Sie hebt ihren Koffer probeweise an und läßt ihn sofort wieder fallen. »Das schaff ich nicht«, erklärt sie.
Hasi übergibt ihr seine Tennisschuhe. »Nimm sie«, sagt er, »ich nehm deinen Koffer!«
Im Gänsemarsch wurschteln sie sich durch das emsige Gehsteiggetriebe. Vorne Berti mit seinen Plastiksackeln, dahinter Hasi mit Rucksack, Koffer, Bauchladen, Daunendings, Medizinschrank und Flossen. Und zum Schluß Christine, beschwingt mit beiden Händen in den Hosentaschen.
Zuerst gehen sie unter schattenspendenden Alleebäumen, und an Hasi ist weiter nichts Auffälliges. Aber dann müssen sie über den großen Platz, und da spielt Hasi plötzlich verrückt. Er hüpft samt Rucksack und Koffer herum wie ein irrer Derwisch. Berti merkt es nicht. Der bahnt sich bereits seinen Weg hügelaufwärts. Christine holt den hüpfenden Hasi ein. Hasi keucht: »Gib mir die Tennisschuhe! Der Asphalt hat ja hundert Grad!« Hasi tritt ungeduldig von einem Bein auf das andere. Christine hat leider die Tennisschuhe im Auto zurückgelassen. Sie verteidigt sich: »Du hast ja gesagt, du gehst jetzt nur mehr barfuß!«
Hasi zeigt empört seine Zehen vor. Sie sind von geschmolzenen Teerfäden umsponnen.
»Jetzt kommen wir ja gleich wieder in den Schatten!« versucht ihn Christine zu trösten. »Im Schatten ist der Boden kühler.«
Aber Hasi nimmt den Rucksack vom Buckel. Keinen Schritt will er mehr ohne Schuhe tun. Hasi wühlt im Rucksack und findet einen Sommerschuh. Er schlüpft hinein. Hasi sucht nach dem zweiten Sommerschuh. Findet ihn nicht.

»Ich glaube«, sagt Christine vorsichtig, »den hast du heute in der Früh in eines von Bertis Sackeln gesteckt!«
»Scheiß mit Reis!« schreit Hasi. Wütend schleudert er den einen Schuh vom Fuß. Der Schuh fliegt durch die Luft. Aber die Einlagesohle klebt, vom Teer gehalten, an Hasis Fußsohle. Und eine blaue Tausend-Schillingnote segelt aus dem Schuh heraus und flattert dem großen Spritzbrunnen in der Platzmitte zu. Christine rennt hinter dem blauen Schein her. Knapp vor dem Brunnen erwischt sie ihn.
Als Christine mit dem Geld wieder bei Hasi ist, hat der den Rucksack auf dem Buckel, die Koffer und das Daunendings in den Händen, und mürrisch schaut er, vergrämt.
Christine gibt ihm das Geld zurück. »Warum hast du den im Schuh drinnen gehabt?« fragt sie.
»Komm, gehn wir weiter!« Hasi will keine Antwort geben. Tapfer schreitet er aus. Keine Miene verzieht er mehr; trotz der Höllenhitze unter den Füßen.
»Hasi, jetzt red schon! Wie kommt der Tausender in deinen Schuh?«
Hasi geht immer schneller. Christine zieht ihn am Leiberl. Fordert Auskunft. Erklärt, daß sie ein Recht darauf habe, das zu wissen. Schließlich hat sie ihm das Geld ja zurückgebracht. Schließlich läge es jetzt im Brunnen. Oder ein arbeitsloser Italiener hätte es schon in der Tasche. »Hasi«, sagt sie, »klär mich sofort auf!«
»Hab mich gern! Das geht dich überhaupt nichts an!« sagt Hasi. Und weil er schon wütend ist, stellt er den Medizinmann-Koffer und das Daunendings auf den Boden und sagt: »Trag wenigstens das!«
Gehorsam nimmt Christine Koffer und Schlafsack. Schweigend steigen sie die schmale Gasse den Hügel hinauf. Dann teilt sich die Gasse.
»Rechts oder links?« fragt Christine. Von Berti ist nichts mehr zu sehen.

»Weiß ich doch nicht«, sagt Hasi. »Ist mir auch wurscht! Ich muß nicht dauernd hinter deinem Bruder herjappeln!« Er deutet auf eins der Häuser. Dort hängt ein Schild: FREIE ZIMMER/FREE ROOMS! »Ich brauch deinen Herrn Bruder nicht! Der kann mich am Arsch lecken!«
»Aber Hasi!« Christine ist verwirrt. Christine weiß nicht, warum Hasi plötzlich so böse ist. Aber Christine weiß, wie sie Hasi wieder freundlich stimmen kann. Auf einen gewissen Blick von ihr, auf eine gewisse Stimmlage reagiert er hilflos. Das ist erprobt. Christine senkt den Kopf ein wenig, nagt mit den Zähnen an der Unterlippe – es schaut tatsächlich fast so aus, als ob sie Tränen unterdrücken wolle –, und dann sagt sie leise: »Pfui Spinne, Hasi, du bist gemein!«
Und Hasi, gerührt darüber, daß er in Christine durch ein paar harte Worte soviel Emotion erzeugen kann, spricht: »Komm, dort oben ist der Berti ja!« Und um zu zeigen, daß zwischen ihnen alles wieder in bester Ordnung ist, nimmt Hasi den Medizinmann-Schrank und das Daunenungetüm wieder an sich.

8. Juli

Engel Elfriede hat umsichtig, günstig und stilvoll Quartier gemacht. Sie hat für Berti den ersten Stock eines kleinen Hauses in der Gasse, die zur Burg hinauf führt, angemietet. Eigentlich ist das gar keine richtige Gasse, sondern eine Treppe aus roten Ziegeln mit enorm breiten, sehr niederen Stufen.
Das Haus ist hellgrün angestrichen. Dunkelgrüne Fensterläden hat es. Und vor Bertis Wohnung ist eine Sonnenterrasse, umrandet mit einer Steinsäulenbrüstung, zur Hälfte von Weinlaub überdacht. Eine steile Eisenstiege führt zur Terrasse und zur Wohnung hinauf. Unten an der Eisenstiege ist ein Schild.

Dottore Dettoni steht darauf. Das veranlaßt Christine, den Knaben Bruder nur noch »Dottore Dettoni« zu rufen.
Die Unterkunft für Hasi und Christine – und daraus kann man dem Engel Elfriede keinen Vorwurf machen, sie hat ja erst am allerletzten Tag erfahren, daß da noch zwei Leute mitkommen – ist unter Bertis Sonnenterrasse. Abgesehen davon aber, daß es dort sehr dämmrig ist und daß man meint, die Leute, die zur Burg hinaufwandern, marschieren einem direkt ins Zimmer hinein, abgesehen davon, daß genau gegenüber vom Zimmerfenster ein Küchenfenster ist, hinter dem Tag und Nacht gebraten, gegessen, getrunken und gehämmert wird – ist das ein recht hübsches Quartier, findet Berti. Und schließlich sind sie ja zum Meer-baden, Sonne-liegen und Pizzeria-sitzen hier. Nicht zum Schöner-wohnen. Christine ist auch gar nicht unzufrieden mit der Wohnung. Ein Zimmer, mit Küche hinter dem Vorhang, und ein Klo mit Dusche; mehr braucht man wirklich nicht. Und der Anblick der Einrichtungs- und Ausstattungsgegenstände erfreut sie sogar ungemein. Sie hat noch nie bei Heiligenbildern, marmorierten Glasvasen, Plastikblumen en gros, Spitzendecken, Rosenvorhängen, Quastelbettdecken und Heferln mit Schutzengeln drauf logiert. Unzufrieden wird Christine nur, wenn sie ihre Wohnung mit der von Knaben Bruder vergleicht. Der Kerl hat nämlich die Stirn zu behaupten, die obere und die untere Wohnung seien gleich teuer. Aber das kann er der Frau Blaschek erzählen! Das wird Christine noch gebührend mit ihm ausdiskutieren. Man könnte es ja gerade noch hinnehmen, daß er seine Schwester um den gerechten Anteil von Klein-Siegfrieds Urlaubsspende bringt, aber man kann es nicht hinnehmen, daß er den armen Hasi, der ja die Hälfte der unteren Wohnung bezahlt, derart reinlegen will. Noch dazu, wo Hasi gar nicht soviel Geld hat! Der tut nur so. Christine hat heimlich seine Brieftasche kontrolliert. Da ist wahrlich kein Vermögen drinnen. Hasi hat eben keine Ahnung, was viel und was wenig Geld ist. Wahrscheinlich verwirren ihn

die vielen Nullen auf den Lire-Scheinen. Ein Super-Rechner war er ja nie. Nein-nein, Hasi muß man vor dem Knaben Bruder schützen. Der Gauner lagert da oben in seiner appetitlichen Zwei-Zimmerflucht mit Hausgarten davor und versucht Minderjährige auszubeuten. Wenn man da länger sinnt, könnte man direkt auf den Gedanken kommen, das Ferkel habe einem nur deshalb zum Mitfahren gezwungen, weil es aufs Geld aus war. Pfui Spinne! Wenn das wahr wäre, gehört Knabe Bruder ins Meer versenkt! Genau an der Stelle, wo die umweltverschmutzten Blasen grauschleimig zwischen den Felsen vor sich hin blubbern. Dottore Dettoni wird sie noch kennenlernen! Keine lumpige Lira wird er an Hasi verdienen! Ganz im Gegenteil; denn heute ist Christine eine milde Herzenseinheit mit Hasi. Heute liebt sie ihn richtig. Heute versteht sie gar nicht, daß es Tage gegeben hat, die weniger Liebe für Hasi zuließen. Hasi muß man einfach liebhaben. Etwas Schöneres als neben Hasi durchs blitzblaue Meer zu schwimmen, gibt es gar nicht. Jede Orangenschale, jeden schwimmenden Plastikfetzen räumt er Christine mit weit ausholenden, eleganten Kraulbewegungen aus dem Weg. Etwas Friedlicheres als mit Hasi in der sternenbeglitzerten Nacht spazierenzugehen, hat noch nicht stattgefunden. Über jeden Stein hebt er Christine, und unaufgefordert reicht er ihr seinen Pullover, wenn er ihre Gänsehaut fühlt. Und wie sie dann nach Hause gekommen sind, hat er sämtliche Mücken aus dem Zimmer gejagt.
Soll Knabe Bruder den Hasemann ruhig komisch finden, weil er mit dem prallen Rucksack im Haustor steckenbleibt und hin und wieder über die eigenen Schuhbänder stolpert und den Blasebalgschlauch nicht in die Luftmatratze reinkriegt und die Spaghetti nicht um die Gabel herum. Hasi ist gar nicht ungeschickt. Sonst wäre er ja auch kein guter Turner. Das ist alles nur psychisch. Das versteht Knabe Bruder nicht. Überhaupt: Hasi ist ein richtiger Held! Das soll ihm Berti erst einmal nachmachen: Eine große, haarige, fette Spinne, eine von der

scheußlichen, schwarz-weiß gemusterten Sorte, hat Hasi vergangene Nacht zart und sachte zwischen Daumen und Zeigefinger aus dem Haus getragen. Er hat die Spinne nicht einfach vor die Tür gesetzt. Bis zur mit Efeu bewachsenen Mauer hat er sie hinaufgetragen und auf ein Blatt gesetzt. Damit der Spinne erstens kein Leid geschieht und damit sie zweitens garantiert nicht mehr zu Christine zurückfindet.
Das ist wahre Größe!
Und kein blödes Grinsen wegen ihrer zittrigen Spinnenangst. Und kein dummes Gelächter à la Berti. Der ist ihr früher mit Spinnen nachgelaufen und hat sich an ihrem Gekreisch delektiert. Mit Spinnen, die er tierquälerisch in die Augenbrauenpinzette der Frau geklemmt hatte. Denn Berti greift keine Spinnen an. Das kann nur Hasi. Und viermal, nachdem sie ins Irrsinns-Messingdoppelbett gestiegen sind, hat Hasi wieder Licht gemacht und die Wände abgesucht, um neuerliche Spinnen-Verdächte zu zerstreuen. Auch da hat er sie nicht ausgelacht. Und ist nicht ungeduldig geworden. Gestreichelt hat er sie, beruhigt hat er sie, hauchzart geküßt hat er sie. Und daß sie in dieser Situation – ungezieferbedroht und schutzbedürftig – für richtigen Sex nicht viel übrig hatte, hat er ohne Worte zur Kenntnis genommen. Sie hat bloß seine Hand wegschieben müssen, und er hat sie verstanden.
Aber so wird das nicht bleiben! Heute nachmittag wird Christine eine große Flasche Spray kaufen und die Wohnung komplett vergasen! Hasi, der Alternativling, der Umweltschützer, wird zwar greinen, von wegen Ozonmantelzerstörung – oder wie er das nennt (lange Vorträge gegen Spraydosen kann er da halten), aber ihr Spray wird die Welt schon nicht in den Untergang treiben. Und eine schöne, freundliche, zärtliche Liebesnacht wird ihm ja wohl ein paar tote Spinnen wert sein!
Christine steigt hoffnungsfroh und zuversichtlich aus dem knarrenden Bett-Ungeheuer. Bevor sie die grünen Fensterläden öffnet, muß sie sich etwas überziehen. Vor dem Fenster

wandert bereits Menschheit zu Tal. Internationale Menschheit. Englisches, Französisches, Italienisches und völlig Unbekanntes tönt in Christines Ohren. Sie schlüpft in den Bademantel und macht die Fensterläden und die Eingangstür weit auf. Jetzt kommt sowohl wenig Sonne als auch viel Öffentlichkeit ins Zimmer. Das ist ja, als ob sie einen Kiosk am Bahnhof hätte!

Christine lehnt sich aus dem Fenster und schaut die Treppen-Gasse zu Tal. Hasi müßte demnächst irgendwo auftauchen. Hasi ist ums Frühstück gegangen. Aus dem »Kleinen Sprachführer« hat er sich folgenden Satz zusammengebastelt und in Blockbuchstaben notiert: *BON SCHORNO SINJORINA UNO LITRO LATTE E OTTO PANINI E UN PAKET DI BURRO GRAZIE LE'I SINJORA!*

Mit dem Zettel ist er vor einer halben Stunde weggegangen, und wenn er nicht bald kommt, dann werden sie erst zu Mittag am Strand unten sein. Dann sind alle schönen Plätze besetzt. Außerdem hat Christine einen Nachholbedarf an Sonnenbestrahlung. Die bergabsteigende Menschheit mit knuspriger, sonnenbrauner Haut macht ihr direkt Minderwertigkeitskomplexe. Wie ein Grottenolm kommt sie sich vor. Die Frau behauptet zwar immer, daß zu Christines Haaren und Christines Augen eine blasse Hautfarbe besser paßt, aber das ist lächerlich. Braun ist schön. Braun ist wichtig. Braune Haut ist Pflicht. Und hoffentlich ist die weiße Wolke, die über der Burg steht, nur ein Einzelgänger. Wenn die nämlich die Vorhut einer ganzen Wolkenarmee ist, dann ...

»Allerschönsten Morgen, mein Mädchen!« Knabe Bruder, geschneuzt, gekämmt, in Reinseide-Jeans-Kombination und unheimlich weitreichend duftend, schreitet seine Eisenstiege herab und bleibt bei Christines Fenster stehen.

»Grüß Gott, Dottore Dettoni«, sagt Christine. »Hasi ist ums Frühstück gegangen!« Das ist als Einladung gedacht. Ihre Nahrungsmittel, seine Terrasse. Aber Berti will ihre Semmeln nicht. Er speist im »Byron«, sagt er. Das »Byron« ist ein Hotel,

direkt am Meer unten. Ein sehr modernes, sehr vornehmes Hotel. Eines mit Oleanderbäumen und livriertem Schnauzbart vor der Tür. Der Engel Elfriede ist dort abgestiegen, sagt Berti.
»Ja, wohnt die denn nicht bei uns?« Christine ist verwirrt.
»Schon, schon, Mädchen!« Berti grinst, »aber pro forma, als Alibi braucht sie doch ein Hotelzimmer, verstehst?«
Christine versteht nicht.
»Wenn der Signor Puzzi anruft, verstehst?«
»Ist der ihr Mann?«
Berti nickt, und Christine versteht endlich. Sie fragt: »Und wann kommt dein Engel Elfriede?«
Berti sagt: »Mein Engel Elfriede ist schon seit gestern abend im Orte!«
Jetzt versteht Christine wieder gar nichts. Wenn dieser Engel schon gestern angeflogen ist, warum war Knabe Bruder dann gestern nicht mit ihm zusammen? Warum ist er mit ihnen stundenlang in der Pizzeria gehockt und hat gelangweilt herumgequatscht. Den »Hasemann« ärgern kann ihm doch nicht so viel Vergnügen machen, daß er den Engel Elfriede vergißt. Und nachher haben sie ihn bis zum Haus begleitet. Er ist müd, hat er gesagt, er muß sich ausschlafen.
»Der Signor Puzzi hat meinen Engel hergefahren«, klärt Berti auf. »Der ist erst heut früh nach Mailand zurückkutschiert. Ab jetzt ist die Luft rein!« Berti nickt Christine zu und schreitet dann zu Tal, dem »Lord Byron« zu.
Christine schaut ihm staunend nach, steht noch sinnend da, als Berti schon längst in die zu Tal wandernde Menschheit unkenntlich integriert ist. An die eiserne Stiege gelehnt, steht sie, bis Hasi die Treppengasse heraufkeucht. Hasi hat nicht nur Semmeln und Milch und Brot und Butter, er hat auch Schinken, Eier, Käse, Zeitungen und einen Riesenblumenstrauß und einen grünen Strohhut mit breiter Krempe und schwarzem Flatter-Seidenband.
Hut und Blumen verehrt er Christine. Christine ist gerührt. Sie

setzt den Hut auf und tut die Blumen in den Wasserkrug. Für eine der scheußlichen, marmorierten Vasen, die überall herumstehen, sind ihr die Blumen zu schade. Sie stellt die Blumen auf den kleinen Tisch vor dem Bett-Ungeheuer. Ein großer Tisch ist auch im Zimmer. Aber der hat ein ganz unmögliches Plastiktischtuch. Und unter dem Plastiktischtuch ist er grauslich gefleckt. »Wollen wir oben, auf Bertis Terrasse, frühstücken?« fragt Christine.
Hasi will nicht. Er erklärt: »Wir essen bei uns daheim!« Das unmögliche Plastiktischtuch stört ihn nicht.
Hasi ißt eine Menge und braucht lange dazu. Die Zeitungen liest er auch. Eine deutsche, eine österreichische und eine italienische hat er mitgebracht. In die italienische vertieft er sich besonders. Stellt Mutmaßungen über Schlagzeilen an, pocht dabei, wenn Christine die Schlagzeilen anders deutet, auf seine »bemerkenswerten Lateinkenntnisse« und erfreut sich besonders am Reklameteil. Den hält er glatt für völkerverbindend. Weil er ihn versteht. Fast alles kann er übersetzen. Das 60-Grad-Vollwaschmittel genauso wie das Glänzende-Haar-Shampoo und die gesunde Margarine.
Christine schaut alle paar Minuten auf die Uhr. Verstohlen. Sie will Hasi nicht drängen, aber sie bangt um den blauen Himmel und den friedlichen Strandplatz. Wenn die bergab gestiegene Menschheit nicht in Cafeterias, Pizzerias und Bars eingefallen ist, sondern sich auf den Strand begeben hat, dann muß dort schon jeder Quadratmeter doppelt belegt sein!
Endlich hat Hasi fertiggegessen und ausgelesen. Er rülpst heftig, was Christine weiter nicht stört, weil sie seit Jahren daran gewohnt ist. Hasis Jausenbrotrülpser während der dritten Schulstunde gehören zum Schulalltag wie Tafelkreide und Klassenbuch.
»Gleich bin ich soweit«, sagt Hasi.
Christine holt den Bikini, den sie zum Trocknen aufgehängt hat, vom Fensterriegel. Die Sonne steht schon sehr hoch, die

Menschheit hat sich verlaufen. Gegenüber, beim Küchenfenster, sitzt eine dicke, alte Frau. Die schneidet Paradeiser und redet. Da man nur die halbe Küche einsehen kann, bleibt ungewiß, ob die alte Frau Selbstgespräche führt oder einem stummen Menschen einen Vortrag hält. Auf alle Fälle aber muß sie ein ganzes Regiment zu verpflegen haben. Eine große Schüssel voll Paradeiserscheiben hat sie schon. Und sie schneidet noch immer emsig drauflos.
Vor dem Haus, unter dem Küchenfenster, im schmalen Schattenstreifen, sitzt ein sehr kleiner Bub. Er spielt mit Glasmurmeln. Er steckt eine Murmel in den Mund, lutscht an ihr, als ob sie ein Zuckerl wäre, bläst dann die Wangen dick auf und spuckt die Glasmurmel aus. Anscheinend geht es ihm darum, die Murmel möglichst weit zu spucken. Vier Murmeln hat er schon verspuckt, jetzt lutscht er an der fünften. Christine hätte große Lust, auszuprobieren, wie weit sie eine Murmel spucken kann.
Die Treppengasse herauf kommt ein engumschlungenes Paar. Eindeutig Berti mit seinem Engel.
»Hasi, sie kommen«, sagt Christine.
Hasi, gerade beim Frühstücksheferl-ausspülen, verläßt samt Heferl und Geschirrtuch die Abwasch, kommt zum Fenster.
»Schau nicht so auffällig«, mahnt Christine, »beug dich nicht so weit raus!«
Hasi behauptet, daß die beiden derart ineinander versunken seien, daß sie keinen Beobachter zur Kenntnis nehmen. »Wie zwei kopulierende Amöben!« sagt er.
»Na?« fragt Christine.
»Was – na?«
»Wie findest sie, den Engel Elfriede?«
Hasi wartet noch ab, läßt die zwei Amöben näherkommen. Kulleräugig, ungehemmt starrt er drauflos, starrt, bis die beiden die Eisenstiege erreicht haben, bis der Engel Elfriede hinter Berti hinaufgestiegen ist, bis das letzte Fuzerl Bein von Engel

Elfriede verschwunden ist. Dann sagt er völlig verdattert: »Das soll eine Mutter mit Kind sein? Das gibt es ja gar nicht! Die ist ja direkt vom Milde-Sorte-Plakat runtergestiegen!«
»Findest wirklich?«
»Na hörst!« Hasi erregt sich. »Die ist ja wie vom Film! Die haut einen ja um!«
Das mag Christine nun aber wirklich gar nicht. Sie ist daran gewohnt, daß Hasi, nach jeglicher weiblichen Person abgefragt, achselzuckend verkündet: Weiß nicht, du bist auf alle Fälle hübscher. – Zugegeben! Die mit Knaben Bruder amöbenhaft verschmolzene Person war schon irgendwie ein atemberaubender Anblick. Da beißt keine Maus einen Faden ab. Hellblond, veilchenäugig, braunhäutig, elfenzart, edelnasig und weiß der Kuckuck, was sonst noch – irgendwie gar nicht wie von dieser Welt, wahrscheinlich hat Hasi recht: wirklich wie von einem Plakat. Aber Hasi hat sowas nicht aufzufallen!
»Die schaut ja aus wie achtzehn«, sagt Hasi.
»Von weitem vielleicht!«
»Wieso? Ich hab sie doch aus der Nähe gesehen! Die war kaum weiter von mir weg als du jetzt!« Hasi ist entrüstet.
»Dann putz dir die Kontaktlinsen!« Christine stopft vergrantelt ihre Badesachen in den Beutel. Wie achtzehn! Einfach lächerlich! Mindestens, aber mindestens zwanzig muß die sein. Das Kind ist angeblich zwei Jahre alt. Die kann doch nicht mit sechzehn ein Kind bekommen haben. Blödsinn! Berti hat erzählt, daß sie in Wien Matura gemacht hat und dann au-pair nach Rom gegangen ist. Und dort hat sie den Puzzi kennengelernt. Und dann erst hat sie geheiratet. »Die ist mindestens dreiundzwanzig«, sagt Christine.
»Auf keinen Fall!« Hasi schüttelt stur den Kopf. »Meine Schwester ist dreiundzwanzig. Und die ist gegen den Engel eine alte Frau!«
Christine tippt sich an die Stirn. »Nie«, sagt sie, »nie kann die jünger sein!«

Hasi behauptet, er wette jede Wette, daß der Engel höchstens, aber schon höchstens zwanzig Jahre alt ist. Und außerdem, sagt Hasi, ist das komplett gleichgültig. Wenn eine »so« ausschaut, spielt das Alter gar keine Rolle.
Christine sagt: »Hasi, jetzt komm schon! Ich muß endlich ins Wasser!«
Aber Hasi will noch das Frühstücksgeschirr wegräumen. Und die Brösel muß er vom Tischtuch kehren, und der Schinken-Käse-Butter-Rest gehört in den Eisschrank. Und er muß überhaupt erst angesteckt werden!
»Wennst nicht bald kommst, geh ich allein!« ruft Christine.
Hasi beteuert, daß er im Nu fertig ist, daß es sich nur mehr um Sekunden handeln kann. Aber dann werden aus den Sekunden doch noch Minuten, weil Hasi seine Badehose sucht. Ganz verzweifelt sucht er sie, bis er dahinterkommt, daß die Badehose am grünen Fensterladen hängt; vom Zimmer her nicht zu sehen, weil der Fensterladen ja geöffnet ist. »Die hättest du aber sehen müssen«, sagt Hasi rügend, »wie du den Bikini hereingeholt hast.«
»Hab ich ja auch!« Es klingt spitz und bös.
»Spinnst?« fragt Hasi verwundert. »Da drängst und drängst, daß wir zum Strand runterkommen? Und dann sagst mir nicht, daß die Badehose am Fenster hängt?«
Weil auf diese logische Fragenfolge keine logische Antwort zu geben ist, zieht Christine nur eine Augenbraue hoch und seufzt. Da Hasi daran gewöhnt ist, eine launenhafte Person zu lieben, bedrängt er Christine gar nicht weiter. Er sagt: »Ich zieh mich gleich da an!« Er steigt aus der karierten Bermuda, hebt einen Fuß, um in die Badehose zu schlüpfen, und hält plötzlich inne und fragt lauschend: »Was ist denn das?«
»Was?« Zuerst hört Christine nichts.
Hasi deutet zur Zimmerdecke. »Das kommt von oben!«
Jetzt hört es Christine auch. Als ob jemand Holz sägen würde. Aber Holz quietscht nicht.

Hasi sinnt. Dann verklärt sich sein Gesicht. Hasi sagt: »Meiner Treu! Die bumsen!« Und dann noch sinnender: »Ob da die Mauern so dünn sind? Oder das Bett so knarrt?«
»Pfui Spinne!« murmelt Christine. »Pfui Spinne! Vor ein paar Stunden hat sie es mit dem Puzzi getrieben, und jetzt liegt sie beim Berti im Bett! Pfui Spinne!« Angewidert packt Christine den Badebeutel und will aus dem Zimmer gehen.
»So wart doch!« Hasi ist noch immer nicht in der Badehose. Hasi scheint es auch gar nicht eilig zu haben. Verklärt schaut er zur Zimmerdecke hoch. Er fragt: »Wieso hat sie es vor ein paar Stunden mit einem Puzzi getrieben?«
Christine bleibt bei der Tür stehen. »Das ist ihr Mann!«
»Und mit dem hat sie . . .« Hasi staunt. »Wieso weißt du das?«
Christine lehnt sich in die offene Tür und schaut dem kleinen Buben beim Murmelspucken zu.
»Wieso weißt du das?« wiederholt Hasi. Und weil er noch immer keine Antwort bekommt, fährt er fort: »Das kannst doch nicht wissen!« Und dann abgeklärt und weise: »Ehepaare schlafen nicht jede Nacht miteinander!«
Christine fällt ein, daß man eine ebenerdige Wohnung nicht mit offenem Fenster zurücklassen kann. Da könnte einer einsteigen und ihnen alles stehlen. Sie kommt ins Zimmer zurück, geht zum Fenster und macht die grünen Fensterläden zu. Hasi, der im Moment keinen Gedanken an Einbrecher verschwendet, deutet dies völlig falsch und springt mit leuchtenden Augen zur Tür und zieht sie zu. Dann springt er auf Christine los. Die kapiert nicht, was Hasi vorhat, welche Motivation er ihr beim Fensterläden-zuklappen unterstellt hat. Erst wie sie von Hasi zum Bett-Ungeheuer gezogen wird, wird ihr die Sache klar. Sie wehrt sich. Sie wehrt sich entschieden. Doch Hasi ist so borniert in seinen falschen Gedankengang verstrickt, daß er die Gegenwehr für Spiel hält. Und außerdem wird von Sekunde zu Sekunde unwichtiger, was Christine will. Er will!
Christine beendet Hasis gewaltiges Wollen durch einen Tritt

gegen Hasis Schienbein und eine Ohrfeige. Sie brüllt: »Du Trottel, du!« Sie rennt aus dem Zimmer, sie rennt, als ob Mörder, Totschläger und Attentäter hinter ihr her wären, die Treppengasse zur Burg hinauf. Sie heult. Und sie zittert. Vor Wut. Vor maßloser, hilfloser Wut. Schreien, laut schreien würde sie am liebsten. Was meint denn der Trottel eigentlich! Glaubt denn der tatsächlich, daß sie sich genau unter dem bumsenden Bruder, beim quietschenden Bettgeknarr, zu so etwas hergibt? Das ist doch das letzte! Aber wirklich das allerletzte!

Vor der alten Burg ist ein großer, kiesbestreuter Platz. Eine Menge Leute sind auf dem Platz. Junge Leute. In der Burg ist eine Jugendherberge. Ein Kiosk mit Ansichtskarten und Limonade steht auch da. Daneben sind Tische und Sessel. Auf einem Sessel sitzt einer und spielt Gitarre.

Christine hört, als sie auf den Platz kommt, zu laufen auf. Würde ja komisch ausschauen, wenn sie über den Platz jagt, in die Burg reinrennt. Die Leute würden ihr nachschauen und sich wundern.

Langsam geht Christine auf die Steinmauer zu, die den Platz umgibt. Die Mauer ist nicht hoch. Christine setzt sich auf die Mauer. Die Mauer ist nur auf der Innenseite niedrig. Auf der Außenseite fällt sie senkrecht und mindestens hundert Meter tief zum blitzblauen Meer hinunter. Christine zieht die Beine auf die Mauer. Die Mauer ist gut einen halben Meter breit. Man hat genug Platz, um bequem da oben zu hocken und aufs blitzblaue Meer hinauszuschauen.

Ziemlich lang sitzt Christine auf der Mauer. Die Knie hat sie angezogen, die Arme hat sie um die Knie geschlungen. In ihrem Kopf sind nichts als Bilder: Bild von Hasi, der auf die Tür zuspringt. Bild vom Bett-Ungeheuer, auf das Hasi sie zuschiebt. Bild von ihrer Hand, die auf Hasis Wange klatscht. Bild von weitaufgerissenem Hasimund, als er die Ohrfeige spürt.

Christine hat keine Lust, die Bilder-im-Kopf mit Worten-im-Kopf zusammenzuhängen. Ganz im Gegenteil. Sie versucht, die Bilder aus dem Kopf zu vertreiben und ins blitzblaue Wasser zu versenken. Wenn sie sich Mühe gibt, muß das möglich sein. Man muß nur ganz fest ins Blitzblaue hinunterstarren. Aber da stört sie wer bei dieser anstrengenden Arbeit. Hinter ihr sind Schritte, die, im Kies knirschend, näherkommen. Und dann liegt eine Hand auf ihrer Schulter. Einer mit einer sehr tiefen Stimme sagt: »Fall da bloß nicht hinunter!« Christine wendet den Kopf ein bißchen, damit sie die Hand auf ihrer Schulter sehen kann. Die Hand ist sehr braun und sehr schmal. Die Hand tut gut. Christine lehnt sich zurück, lehnt sich an den mit der tiefen Stimme. Zwischen den Schulterblättern spürt sie eine Gürtelschnalle. »Ich fall schon nicht runter«, sagt sie.
Der mit der tiefen Stimme lacht und macht einen Schritt nach rückwärts, und Christine, total aus dem Gleichgewicht, kippt nach hinten. Sie rudert mit den Armen in der Luft, denkt: Besser nach hinten in den Kies plumpsen, als sich nach vorn zu Tode stürzen! Da packt sie der mit der tiefen Stimme unter den Achseln und hält sie fest. »Na siehst«, sagt er, »so leicht kann man fallen!«
Christine schaut ihm schräg, von unten her, ins Gesicht. Sie sieht, daß ihm kleine Haare in den Nasenlöchern wachsen. Und am Kinn hat er blonde Bartstoppeln. Seit Wochen muß der hier in der Sonne braten, sonst könnte er nicht so braun sein, so unverschämt bitterschokoladenbraun. Eine richtige Negerhaut hat er. Aber Neger ist er sicher keiner. Er hat nicht nur hellblonde Haare, sondern auch graue Augen. Und Halbneger kann er auch keiner sein, denn seine Stimme klingt arg nach Tirol. Tiroler pflegen keine Paarung mit Negern zu vollziehen. Nein, nein, der ist einfach ewig lang in der Sonne gelegen!
Christine schaut in die hellgrauen Augen, ihr Herz beginnt zu klopfen, mit einem kräftigen Ruck befreit sie sich von den

stützenden Händen und richtet sich auf. Sie zieht die Beine wieder an, schlingt die Arme um die Knie, starrt ins Blitzblaue hinaus und denkt: Pfui Spinne! Was mach ich jetzt? Das ist die sogenannte »Liebe auf den ersten Blick«!
»Komm runter, Marie«, sagt die Liebe-auf-den-ersten-Blick leise, beugt sich zu ihr und berührt mit den Lippen ihren Hals. Christine kriegt einseitig, halsabwärts, sanfte Gänsehaut. Sie rutscht von der Mauer. »Ich heiße nicht Marie!« sagt sie.
Die Liebe-auf-den-ersten-Blick legt einen Arm um ihre Schultern, drückt sie an sich und flüstert: »Dafür brauchst du dich nicht zu entschuldigen, Marie!«
Christine geht neben der Liebe-auf-den-ersten-Blick über den großen Platz vor der Burg. Sie kommen beim Limonadenstand vorbei. Dort lehnt ein dicker, schwitzender junger Mensch in einer getigerten Badehose und sagt zur Liebe-auf-den-ersten-Blick: »In einer halben Stund fahrn wir!«
Christine erschrickt. Sie bekommt Angst, die Liebe-auf-den-ersten-Blick könnte wieder entschwinden, könnte sie, vom Blitzschlag der unvernünftigen Zuneigung getroffen, hier stehenlassen und mit dem Fetten und irgendwelchen anderen Dödeln auf Nimmer-Wiedersehen wegfahren. Aber die Liebe-auf-den-ersten-Blick zieht Christine noch enger an sich und sagt: »Ich fahr nicht mit. Ich bleib da!« Christine lächelt beglückt. Der Fette ist nicht einverstanden. »Wieso denn?« fragt er. »Du wolltest doch unbedingt!« Die Betonung liegt auf »du«.
Christine schmiegt sich an die Liebe-auf-den-ersten-Blick. Mehr hat sie im Moment dieser Mahnung nicht entgegenzusetzen.
Der Fette sagt: »Spiel nicht plem-plem! Es ist doch ausgemacht.«
»Fahrt ohne mich«, sagt die Liebe-auf-den-ersten-Blick. »Ich muß bei meiner Marie bleiben.«
Der Fette glotzt blöde, sagt: »Das wird die Marita aber sehr freuen.«

Die Liebe-auf-den-ersten-Blick lacht heiter, nickt dem Fetten verabschiedend zu und steuert mit Christine dem schmalen Weg zu, der bergab, an der anderen Seite vom Platz, dem Meer zu führt. Der Fette ruft hinter ihnen her: »Was soll ich denn sagen, wenn mich die Marita nach dir fragt?«

Die Liebe-auf-den-ersten-Blick murmelt: »Sag was du willst, du Depp.« Christine tut es leid, daß der Fette das nicht mehr hören kann.

Der schmale Weg geht steil bergab, schlängelt sich zwischen dornigen Stauden und sonnenverdorrtem Gestrüpp in Spitzkehren der Felsenküste zu. Jedesmal, wenn der Weg die Richtung ändert, in der Kurve, küßt die Liebe-auf-den-ersten-Blick Christine. Und von Kurve zu Kurve geraten die Küsse länger und heftiger. Knapp vor jedem Kuß, bevor Christine die Augen schließt, schaut sie zur Burgmauer hinauf. Dort lehnen Menschen. Christine empfindet es nicht als störend, daß man sie und ihre Liebe-auf-den-ersten-Blick von dort oben beim Küssen beobachten kann.

Auf halber Höhe, zwischen Burg und Meer, steht eine winzige Kapelle am Wegrand. Die Kapelle hat eine eiserne Gittertür. *Stella Maris* steht in Goldbuchstaben über der Tür. In der Kapelle ist eine gipserne Muttergottes mit Kind. Ihr blaugemaltes Kleid ist goldsterngetupft. Rund um die Muttergottes sind Einsiedegläser und Konservendosen mit Blumen.

Christine will weiter bergab steigen, aber die Liebe-auf-den-ersten-Blick schüttelt den Kopf. »Wir sind schon da, Marie. Da ist mein Platz. Den kennt sonst niemand.«

Die Liebe-auf-den-ersten-Blick bahnt sich zwischen der Kapellenmauer und dem dornigen Gestrüpp einen Weg zur Hinterseite der Kapelle. Christine folgt ihm.

»Na, Marie, hab ich da nicht einen hübschen Platz?« Die Liebe-auf-den-ersten-Blick strahlt Christine aus den wunderschönen, hellgrauen Augen zufrieden an. Christine nickt. Der Platz hinter der Kapelle ist wirklich wunderschön. Umgeben

von hohen Brombeerhecken, Felsen und der Kapellenmauer ist da ein ebener, leintuchgroßer Fleck verdorrter Wiese.
»Hier stört einen kein Schwein!«
Die Liebe-auf-den-ersten-Blick holt eine zusammengerollte Decke aus den Brombeeren und breitet die Decke aus. Christine schaut sich um. Da kann einen tatsächlich niemand sehen. Und stören. Auch keine Marita. Und kein Fetter. Christine setzt sich auf die Decke. Sie zieht die Sandalen aus und holt kleine Kieselsteine zwischen den Zehen hervor. Heiß ist es aber da! Unheimlich heiß. Die Sonne steht ganz hoch. Und kein bißchen Wind weht. Die Wolken, vor denen Christine vor einer Stunde noch gebangt hat, sind verschwunden.
Die Liebe-auf-den-ersten-Blick legt sowohl Ruderleiberl und Jeans als auch Unterhose ab. Sein Hintern ist genauso bitterschokoladenbraun wie der übrige Körper. Christine ist sich ganz sicher, daß sie noch nie in ihrem Leben einen schöneren Mann gesehen hat. Knabe Bruder etwa? Nein! Da muß auch Knabe Bruder den Platz auf dem Siegerpodest räumen. Dem seine Augen sind nicht ganz so strahlend. Seine Nase ist nicht ganz so edel, seine Schultern sind nicht ganz so breit und seine Hüften nicht ganz so schmal. Eigentlich könnte man behaupten, daß die Liebe-auf-den-ersten-Blick eine verbesserte Luxusausgabe von Knaben Bruder ist. Die Luxusausgabe legt sich auf die Decke, legt sich auf den Bauch, sagt: »Komm, Marie!«
Christine betrachtet begeistert einen Meter und fünfundachtzig Zentimeter makellose männliche Kehrseite. Sie würde gern streicheln. Sie weiß aber nicht, ob das ein erwünschtes Verhalten wäre.
»Komm doch schon, Marie«, murmelt die Liebe-auf-den-ersten-Blick mit der Stimme von einem, der gerade am Einschlafen ist, und klopft mit einer Hand fordernd auf den freien Deckenplatz an seiner Seite. Gehorsam legt sich Christine neben ihn. Auch auf den Bauch. Schulter an Schulter liegen sie da. Schauen einander ins Gesicht. Von weit her läuten die

Mittagsglocken, Gelächter ist auch zu hören, und als die Glocken und das Gelächter verstummen, hört man Wellen an Felsen klatschen.
Die Liebe-auf-den-ersten-Blick richtet sich auf, stützt sich auf die Ellbogen. »Marie!« sagt er. Und noch einmal: »Marie!«
Für Christine klingt das wie eine prächtige Liebeserklärung. Sie dreht sich auf den Rücken. Damit sie ihrer Liebe auf den ersten Blick wieder ins Gesicht schauen kann. Die Liebe-auf-den-ersten-Blick gibt ihr einen sanften Kuß auf die Nasenspitze, sagt: »Du schwitzt, Marie!« Dann knöpft er Christines Bluse auf und betrachtet versonnen ihre Brüste.
Christine hat Angst, daß er sie als zu gering verwerfen könnte. Wenn man auf dem Rücken liegt, wirkt der Busen immer fatal klein. Christine setzt sich auf. Jetzt, findet sie, ist der Busen wieder tadellos. Zum Herzeigen. Sie zieht die Bluse aus.
»Mach weiter, Marie!« sagt die Liebe-auf-den-ersten-Blick.
Christine steht auf, öffnet den Hosenzipp und zerrt das hautenge Hosendings über die Hüften. Der Slip rutscht dabei mit. Sie steigt aus der Hose, wirft Hose samt Unterhose ins Brombeergestrüpp und setzt sich wieder auf die Decke.
Die Liebe-auf-den-ersten-Blick betrachtet sie. Betrachtet vor allem eingehend ihre kupferfarbenen Schamhaare. »Und ich hätt jede Wette aufgenommen«, sagt er, »daß meine Marie gefärbte Haare hat! Daß es sowas Wunderschönes auch echt gibt, hab ich nicht gewußt!«
Er legt den Kopf in Christines Schoß. Christine spürt seinen Atem auf ihrer Haut, spürt seine Lippen, spürt seine Zungenspitze. Unendlich angenehm ist das. Aber irgendwie ist es auch wie in einem Traum. Und wie im Kino. Da passiert etwas mit ihr, was – soweit Christine Christine kennt – ganz unmöglich ist. Nicht nur unmöglich, gemessen an den Maßstäben, mit denen ihre Umwelt Moral vermißt. Auch gemessen an dem, was Christine für richtig hält, benimmt sie sich grundfalsch. Sie sagt: »Ich weiß nicht einmal, wie du heißt.«

»Christian heiß ich«, murmelt der Mund, in ihrem Schoß vergraben, »Christian-Michael.« Und nach einer winzigen Pause, in der er sanft in Christines Bauch beißt: »Kirschhofer!« Damit scheint für ihn die Sache erledigt. Er küßt weiter an Christine herum. Christine läßt sich auf die Decke zurückfallen. Christian fällt mit ihr, liegt auf ihr, schaut sie besorgt an und fragt: »Du willst doch – oder?«
Christine schließt die Augen. »Ich kenn dich doch gar nicht«, flüstert sie.
Und dicht an ihrem Hals, wieder mit dem Gänsehaut erzeugenden Effekt, sagt Christian: »So ein Unsinn! Du bist meine Marie. Ich kenn dich ewig und hundert Jahr dazu!«
Christine öffnet die Augen wieder, schließt die Arme um den schönen bitterschokoladenbraunen Leib auf ihr und denkt, daß da was Wahres dran ist, daß ihr diese Haut vertraut ist. Da ist nichts Fremdes, nichts Unbekanntes.
»Muß ich aufpassen?« fragt Christian.
Christine ist die Frage peinlich. Das nimmt Vertrautheit. Sie macht die Augen zu und schüttelt den Kopf.
»Sicher nicht?«
Sie schüttelt wieder den Kopf.
Gegen vier am Nachmittag kommt der Schatten hinter die kleine Kapelle. Christian und Christine liegen noch immer auf der Decke. Engumschlungen liegen sie. Christian raucht. Hin und wieder hält er Christine die Zigarette zum Mund und läßt sie teilhaben am Nikotin. Hin und wieder küßt er sie auf die Wange. Hin und wieder streichelt er über ihre Hüften. Hin und wieder fragt er: »Glücklich, Marie?«
Christine zieht an der Zigarette, genießt das Streicheln und Küssen und versichert ehrlichen Herzens, so glücklich wie noch nie zu sein.
Aber Christian ist hungrig. Und durstig auch. »Liebe zehrt, Marie!« sagt er.
Christine ist unheimlich müde. Sie kann sich nicht vorstellen,

daß sie die nötige Kraft zum Aufstehen und Anziehen aufbringen kann.
»Komm, Marie«, Christian zieht Christine hoch. Christine läßt sich wieder auf die Decke fallen. »Ich bin viel zu müde für alles«, sagt sie. Christian hockt sich zu ihr und zieht sie an. Stopft sie in Bluse und Slip und Jeans, als sei sie eine unhandliche, riesige Kleiderpuppe, sagt: »Mariechen, mein liebes Mariechen, das hat uns doch Kräfte gekostet! Fünfmal hintereinander, Marie, wer kann sich das schon leisten? Wir müssen auftanken, Marie, sonst sind wir am Abend zu gar nichts mehr fähig!«
Christine nickt, stopft die Bluse in die Jeans. Christian lacht, zieht sich an, rollt die Decke zusammen und steckt sie unter die Brombeerstauden.
Es wäre bequemer, hintereinander den Weg zur Burg hinaufzuklettern. Aber Christine muß sich unbedingt an Christian lehnen. Muß ihn spüren. Da nimmt sie lieber kratzendes Dornengestrüpp an der einen Seite in Kauf, als daß sie auf den Hautkontakt auf der anderen Seite verzichtet. Den braucht sie nämlich ab jetzt zum Leben. Das ist ihr völlig klar. Wenn sich Christian-Michael Kirschhofer auch nur einen einzigen Meter weit von ihr entfernen würde, ginge sie zugrunde.
Der große Platz vor der Burg ist leer. Nur der Limonadenverkäufer schläft – eine Zeitung über den Glatzkopf gebreitet – an einem Tischchen unter dem Sonnenschirm.
Sie gehen die Treppengasse zum Ort hinunter, vorbei am Haus, in dem Christine wohnt. Der kleine Bub hockt diesmal unter ihrem Fenster und spuckt Murmeln. Oben auf der Dachterrasse unter dem Weinlaub sitzen Berti und sein Engel Elfriede. Sie trinken Rotes aus großen Gläsern. Christine weiß nicht, ob Knabe Bruder sie gesehen hat. Christine vermutet, daß Hasi nicht im Zimmer ist, weil die Fensterläden geschlossen sind. Christine erwähnt mit keinem Wort, daß sie hier wohnt.
Unten, beim Hauptplatz, ist ein Fischgeschäft. Die Einfahrt

neben dem Laden steht offen. Mindestens ein Dutzend Katzen hocken da drinnen bei den Abfallkübeln und kämpfen um Fischköpfe.
»Ich mag Katzen«, sagt Christine.
Christian zeigt auf eine dünne schwarze Katze, die hat nur ein Auge, und ein Stück vom einen Ohr ist auch weg. »Die schenk ich dir!« sagt er.
Christine bedankt sich mit einem Kuß.
Beim Blumenstand, an der Ecke, holt Christian einen Riesenstrauß roter Rosen aus dem Blechkübel. Er überreicht die Rosen Christine. Die Blumenfrau nimmt ihr den Strauß wieder ab. Sie muß erst nachzählen. Und irrt sich beim Zählen. Kommt einmal auf fünfzig Rosen, dann auf siebenundvierzig, dann auf zweiundfünfzig, seufzt schließlich und macht einen Pauschalpreis. Christian holt eine Menge Geldscheine aus der Hosentasche und zeigt sie der Blumenfrau. Die nimmt ihm zwei davon ab.
»War das nicht zu teuer?« fragt Christine.
Christian lacht und sagt, für seine Marie ist überhaupt nichts zu teuer.
Die erste Pizzeria, bei der sie vorbeikommen, gefällt Christian nicht. »Zu schäbig für meine Marie!«
Die zweite Pizzeria gefällt ihm auch nicht, weil da lauter deutschsprachige Aufschriften stehen. Und weil die Preise in DM angegeben sind. Die dritte Pizzeria endlich entspricht Christians Vorstellungen. Sie setzen sich in den Garten. Der Ober wieselt sofort heran. Die große und allgemeine Pizza-Freß-Stunde ist noch nicht angebrochen.
Christian will Christine zu Pizza mit Muscheln überreden.
»Pfui Spinne!« sagt Christine, »Muscheln stinken. Ich mag keine Muscheln und keinen Fisch!«
»Dann küß mich noch schnell«, sagt Christian, »denn gleich eß ich Pizza mit Muscheln und stink dann.«
Vor dem geduldig der Bestellung harrenden Ober küßt Christi-

ne Christian. Und nach dem Kuß verzichtet Christian auf Pizza mit Muscheln, »seiner Marie zu Ehren.« Sie bestellen zweimal Pizza Quattro Stagioni, und der Ober lächelt und enteilt.
»Marie, Marie« seufzt Christian, »du bist die erste, der ich das Muschelopfer darbringe!«
Der Ober bringt den Wein und das Aqua Minerale. Christine trinkt ein Glas Mineralwasser auf einen Zug leer. »Ich heiße Christine«, sagt sie. Sie legt ihren Kopf an Christians Schulter. »Marie klingt zwar schön, wenn du es sagst, aber ich bin trotzdem die Christine.«
»Ja, Marie«, sagt Christian. »Es ist aber an dem, daß mir bisher alle großen Lieben schiefgegangen sind. Nie hat es geklappt. Immer war da was, was mich gestört hat und schief und quer gelaufen ist. Sie waren alle nicht so, wie ich mir das vorgestellt hab. Sie sind mir schon auf die Nerven gegangen, bevor es noch richtig angefangen hat. Aber das hat mir nie etwas ausgemacht. Weil ich gewußt hab, daß irgendwann einmal meine Marie kommt. Und die ist dann genauso, wie ich sie haben will. Ganz genauso. Jeden Tag hab ich mir meine Marie vorgestellt, wie sie ausschaut, wie sie redet, wie sie sich bewegt, und wie sie lacht, wenn sie glücklich ist. Es ist nicht meine Schuld, daß du meine Marie bist!«
Christine ist von der langen Rede unheimlich ergriffen und bereit, Marie zu sein. Christian schenkt ihr Wein ins Glas.
Christine protestiert. »Ich werd betrunken. Ich trink nie Wein!«
Christian sagt, es ist wichtig für ihn zu wissen, wie eine beschwipste Marie ist. Er möchte klären, ob er seine Marie in trunkenem Zustand genauso gern hat.
Christine trinkt vom Wein. Er schmeckt ihr nicht schlecht. Nach drei, vier großen Schlucken hat sie sich an den Geschmack gewöhnt.
Der Ober bringt die Pizzas, und Christine bedauert, daß man Pizza nicht mit einer Hand essen kann, daß Christian, um seine

Pizza zu zersäbeln, den Arm von ihrer Schulter nimmt. Er wendet der Pizza überhaupt zuviel Aufmerksamkeit zu. Frißt, als hätte er eine Woche nichts zu futtern bekommen, salzt nach, pfeffert, trinkt Wein in großen Schlucken und beäugt die Pizza liebevoll, als wäre die auch eine »Marie«. Konsterniert stellt Christine fest, daß sie das Talent hat, auf eine Pizza eifersüchtig zu sein.
Aber Christian ist gar nicht so sehr auf die Pizza fixiert. Kauend fragt er: »Eins, Marie, kapier ich nicht. Du hast doch vor mir noch mit keinem Mann geschlafen – oder?«
Christine wird rot. Schämt sich für diese Frage. Sie starrt das karierte Tischtuch an. Warum fragt er denn? Er muß das doch wissen!
»Wieso hast du dann gesagt, daß ich nicht aufpassen muß? Ich mein ...« er zögert, »als Jungfrau hat man doch keine Spirale eingesetzt und nimmt doch keine Pille – oder?«
Jungfrau! Wie das schon klingt! So redet man nicht – zumindest nicht beim Pizzaessen!
Christian wischt sich mit der Papierserviette über den Mund und schiebt den leeren Teller von sich. Dann beugt er sich zu Christine, streicht das kupferfarbene Haarbüschel von ihrem Ohr und küßt sie aufs Ohr. »Du bist eine verklemmte Marie!« sagt er. »Merk dir, wenn man was voll Freude ausübt, dann kann man ruhig darüber reden.«
Christine starrt weiter das Tischtuch an. Sicher hat er recht. »Aber es fällt mir schwer!« sagt sie.
»Üben, nix wie üben, Marie!« rät Christian. Und Marie übt. Sie schiebt die halbgegessene Pizza weg, lehnt sich an Christian und erzählt ihm von Hasi, von der sinnlosen Pilleneinnahme und von der Hoffnung, daß sich alles fern der Heimat im Süden ändern könne. Sie erzählt ihm auch von heute morgen. Wie Hasi über sie hergefallen ist. Und wie sie kapiert hat, daß ein Liebesleben mit ihm ganz unmöglich ist. Mit jedem Satz, den sie sagt, distanziert sie sich mehr und mehr von Hasi, beteuert

ihre Abneigung gegen Hasi und beerdigt zwischen vielen Schlucken Rotwein eine fast zwei Jahre gehegte und gepflegte Zuneigung.

»Das war aber ein schweres Leben für dich, Marie«, sagt Christian bekümmert und bestellt beim Ober zwei große gemischte Eisbecher mit Schlagobers und Schokoladensoße. Und dann, eislöffelnd, sagt er: »Marie, ich möchte wieder!« Und fügt sinnend hinzu: »Hinter der Madonna wird es uns aber zu kalt werden.«

Christine spürt, daß sie rot wird.

Christian schaut auf die Uhr. »Solltest du nicht irgend jemandem ein Lebenszeichen zukommen lassen?« fragt er. »Sonst fahndet demnächst noch die Wasserpolizei nach dir!«

»Pfui Spinne! Jetzt hast den Teufel an die Wand gemalt«, seufzt Christine. Zwischen den Oleanderbäumen, die den Pizzeriagarten gegen die Straße hin abschirmen, ist der Kopf von Knaben Bruder aufgetaucht, kaum fünf Meter von Christine entfernt. Suchend schaut sich Knabe Bruder um.

»Herr im Himmel, laß es sofort finster werden«, flüstert Christine. Der Herr im Himmel erhört diese Bitte nicht. Christian versteht Christines Erregung nicht. »Was ist denn?« fragt er. Und dann sieht auch er den Kopf von Knaben Bruder im rosa Oleander. Er grinst und winkt Knaben Bruder zu. Berti bricht wie ein wilder Eber durch die Oleanderstauden, der Ober betrachtet ihn mit rügendem »wenn-das-jeder-täte«-Blick. Christian springt auf, eilt auf Berti zu. Berti und Christian klatschen sich gegenseitig Hände auf die Schultern, dann zieht Christian Berti zum Tisch und zu Christine hin und sagt heiter: »Bertold, mein Freund, das ist meine Marie!«

Es ist ungewiß, ob Knabe Bruder Christine schon vorher erkannt hat, es ist ungewiß, ob Knabe Bruder weiß, was dem Christian eine »Marie« bedeutet. Falls Berti erstaunt ist, läßt er sich das nicht anmerken. »Grüß Gott, Marie«, sagt er und will sich neben Christine setzen.

»Bertold, das ist mein Platz«, vertreibt ihn Christian und zeigt auf die andere Tischseite. »Hock dich dort hin! Du raubst mir meine Marie nicht, verstanden!«
Berti setzt sich Christine gegenüber, studiert die Speisekarte und murmelt: »Inzest ist mir immer fern gelegen!«
»Was sagst?« fragt Christian.
»Gar nix! Überhaupt nix!« sagt Knabe Bruder.
Christian irritiert das nicht weiter. Er fragt Berti, ob der Engel Elfriede schon angekommen ist, wie lang denn Berti überhaupt schon da ist. Er erklärt, daß er Berti vergangenen Freitag in Wien anzurufen versuchte, aber absolut keine Verbindung bekommen hat. »Die Italiener haben ein Scheiß-Telefon«, sagt er. Dann stockt er. Schaut aufmerksam zwischen Berti und Christine hin und her.
»Mein Engel ist schon da.« Knabe Bruder seufzt. »Aber sozusagen fast nie vorhanden!« Knabe Bruder legt die Speisekarte weg. »Wennst nach Italien einheiratest, kriegst nämlich mehr Verwandte als eine Rose Läuse haben kann. Und jetzt ist eine Tante vom Puzzi aufgetaucht.« Er seufzt wieder. »Elfriede glaubt, daß die zur Beschattung eingetroffen ist. Und darum ist sie mit der alten Tante Nachtmahlessen gegangen. Wenn das so weitergeht, such ich mir eine andere Braut. Da wirst ja verrückt!«
Christine fällt ein, daß Knabe Bruder einmal von einem gesprochen hat, der mit ihm studiert und der den ganzen Sommer in Italien lebt, weil seine Eltern dort ein Haus gekauft haben. Es fällt ihr auch ein, daß Knabe Bruder eigentlich bei dem hatte wohnen wollen. Nur wegen dem Engel Elfriede und der intimen Zweisamkeit mit dem Engel hatte er sich dann anders entschieden. Christine freut sich, daß die Liebe-auf-den-ersten-Blick anscheinend dieser Studienkollege ist. Das gibt Sicherheit. Das macht Hoffnung für später. Studienkollegen von Brüdern sind etwas ungeheuer Reales. Die können sich nicht so leicht in Luft auflösen.

Christian schaut noch immer aufmerksam zwischen Berti und Christine hin und her.
»Was bist denn so verstummt, Christerl?« fragt Berti. »Hast was? Is was?«
Christian sagt: »Ihr schaut euch ähnlich! Ungeheuer ähnlich sogar.«
Knabe Bruder winkt dem Ober. Schaut auch in Richtung Ober, als er sagt: »Weil wir unserer Mama nachschlagen, Christerl, deswegen!«
Und Christine schaut, voll der Liebe, in Christians völlig verdattertes Gesicht und stellt beglückt fest, daß nicht einmal ein sagenhaft großes Erstaunen in der Lage ist, sein Antlitz zu entstellen.

9. Juli

Mitternacht ist längst vorüber. Hasi hockt am Fenster und wartet. Den Sternenhimmel kann er nicht sehen, weil die Kontaktlinsen weg sind. Gegen Abend nämlich hat Hasi einen Weinkrampf bekommen, der hat ihm die Linsen aus den Augen geschwemmt. Irgendwo auf der Quasteldecke vom Doppelbett müssen die verdammten Dinger sein. Vielleicht sind sie jetzt aber schon auf dem Fußboden unten; denn Hasi hat heulend und fluchend mit beiden Fäusten auf das Bett eingeschlagen und dadurch das Bettmonstrum in quietschende Schwingungen versetzt. Leicht hätten dabei die winzigen Dinger von der Decke hüpfen können. Aber dem Hasi sind die Kontaktlinsen jetzt völlig gleichgültig. Er braucht nichts mehr zu sehen, genau zu sehen. Und Christine, wenn sie die Treppengasse heraufkommt, falls sie überhaupt die Absicht hat, den letzten Teil der Nacht hier zu verbringen, die erkennt er auch ohne Sehbehelfe. Hasi zittert. Der ganze schreckliche Tag zittert in ihm nach. Hasi beißt sich die Nägel kurz. Fünf Jahre ist er jetzt ohne Nagelbeißen mit dem Leben zurechtgekommen, hat längst gemeint, das Laster seiner Kindheit überwunden zu haben. Stolz war er darauf. Oft hat er seine Hände zufrieden angeschaut. Nicht, daß er die kurzen, breiten Finger und die fleischigen Handballen schön gefunden hätte. Die schwarzen, geringelten Haare am Handrücken haben ihn auch immer gestört. Aber daß er Nägel zum Schneiden an den Fingern hatte, das hat ihn so zufrieden gemacht. Lange Nägel ohne die geringste Knabberspur und ohne entzündet geschwollenes Nagelbett. Vorzeigenägel. Nägel, die nicht von psychischem Defekt zeugen.

Und jetzt also beißt Hasi wieder. Allerdings nur an einem Nagel. Am linken Daumen. Mehr gesteht er sich – streng zu sich selber – nicht zu. Und wenn der Daumennagel weg ist, wird er sich noch einen Nagel erlauben müssen. Nagelbeißen ist das einzige, was er jetzt tun kann. Weinen kann er nicht mehr, fluchen kann er nicht mehr und einschlafen schon gar nicht. Ein Dutzend Mal schon hat er sich auf das Bett gelegt, hat sich befohlen, nichts mehr zu denken, nur auf den Schlaf zu warten. Aber dann waren immer wieder Schritte draußen zu hören, näherkommende Schritte, und Hasi hat gemeint, das könnten Christine-Schritte sein, und ist vom Bett aufgesprungen und zum Fenster gelaufen und hat fremden Leuten zugeschaut, wie sie beschwipst oder nüchtern, zweieinig oder allein, die Treppengasse zur Burg hinauf wanderten.

Dem heimkehrenden Berti hat er auch aufgelauert. Berti ohne Engel Elfriede, dreizehn Minuten nach null Uhr. »Sie ist noch immer nicht da!« hat Hasi gesagt, und Berti ist fürchterlich erschrocken. Nicht über diesen Sachverhalt, sondern über die Hasi-Stimme, die so plötzlich und dicht neben ihm in die nächtliche Stille klagte.

Wenn sich Hasi die Sache jetzt überlegt, merkt er, daß da etwas nicht gestimmt hat. Berti hat nicht richtig reagiert. Berti hat sich, nach dem Schreck, friedlich-freundlich zu ihm ans Fensterbrett gelehnt und gesagt: »Da kann man nichts machen, sie wird schon kommen. Geh nur schlafen!« Richtig milde und gütig war er zu Hasi. Das ist sonst nicht seine Art. Und warum war er nicht beunruhigt? Wieso hat er sich keine Sorgen gemacht? Am Nachmittag ist er erregt und besorgt gewesen! Schließlich hatte Christine weder Badeanzug noch Lire noch Jacke oder sonst was bei sich. Auch Berti hat am Nachmittag gemeint, daß mit Christine irgend etwas passiert sein muß. Darum hat sich Berti am Abend, nachdem er den Engel zum Hotel gebracht hat, auf die Suche nach seiner Schwester gemacht. »Jetzt kommt mir das wirklich auch schon sonderbar vor!« hat Berti andauernd nervös gemurmelt. Und richtig unruhig war er. Engel Elfriede hat ihn in der Unruhe bestärkt. Engel Elfriede hat gesagt: »Mit sechzehn ist man unberechenbar.« Trübsinnig aber weise hat sie dabei in ihr Campariglas gestarrt. Und wie sie sich dann von Hasi und der Laubenterrasse verabschiedet hat, hat sie Hasi auf die Wange geküßt und ihm »Alles Gute, Hasemann« gewünscht. »Hasemann« von Elfriedes Lippen ist keine Beleidigung. Engel Elfriede ist lieb. Hasi hat sich am Nachmittag, nach dem Heulanfall, von ihr trösten lassen. Ganz ohne Worte. Ihr freundliches Lächeln genügte. Mag sein, daß Berti deswegen sauer war, daß Berti die kargen Stunden, die der Engel Elfriede mit ihm verbringen kann, lieber ohne Hasemann an der Seite verlebt hätte, aber darauf konnte Hasi keine Rücksicht nehmen. An wen hätte er sich denn in seiner schmerzlichen Verwirrung wenden sollen? Stundenlang hatte er vergeblich den Ort, den Strand, die Lokale und Wege und Gassen nach Christine abgesucht. Kopfweh und einen Sonnenbrand auf den Schultern hat er davon bekommen. Von Stunde zu Stunde hat er sich heftiger eingeredet, daß Christine einfach abgefahren sein könnte, nach Hause oder nach Griechenland. Aber Berti hat ja recht! Sie kann ohne Geld nicht weg sein! Berti hat ihr Geld. Und sein Geld hat sie auch nicht. Es sei denn, sie wäre zurückgekommen und hätte

seine geheimen Geldverstecke geplündert, hätte die Tausender aus der doppelten Unterhose und dem Jackenfutter getrennt. Doch Christine weiß ja gar nichts von seinen Gelddepots! Vielleicht hat sie sie zufällig entdeckt?
Hasi ist viel zu geschlagen und verstört, um vom Fenster wegzugehen und nach seinen diversen Geldern Ausschau zu halten. Außerdem kann er jetzt nicht mehr an Christines Abreise glauben. Berti war viel zu ruhig und gelassen. Berti weiß etwas! Und Berti war sichtlich voll Mitleid mit ihm. Berti verschweigt ihm etwas. Heute nachmittag hat Berti gesagt, daß man in einer Gegend am Meer vorsichtig sein muß, weil auch gute Schwimmer ersaufen können. Hasi hat geglaubt, der Herzschlag trifft ihn, wie er das gehört hat – hat Christine schon als Wasserleiche vor sich gesehen, wie sie nackend und bleich von trägen Wellen ans kiesige Ufer geklatscht wird.
Hasi hat überhaupt schon alle schrecklichen Möglichkeiten durchgedacht: Daß Christine zu einem Wüstling ins Auto gestiegen sein könnte. Daß sie über einen Felsen gerutscht sein könnte und mit zwei gebrochenen Beinen und einer Gehirnerschütterung irgendwo in einem Spital liegt. Daß sie, von einem Auto überfahren, tot in einer Prosektur lagert. Alles, was man sich an Schrecklichem vorstellen kann, hat sich Hasi an diesem schrecklichen Tag schon vorgestellt. Und Berti und dem Engel Elfriede erzählt. Und Berti – bevor er nach Christine suchen ging – hat keine der schrecklichen Möglichkeiten zur Gänze abgelehnt. Und dann kommt er – nach Stunden und Stunden – wieder und ist ruhig und gelassen. Da ist etwas faul! Berti verschweigt ihm die Wahrheit. Die Wahrheit kann nicht schrecklich sein. Die Wahrheit kann nur für ihn schrecklich sein.
Hasi steht auf und wankt zum Bett. Die Wahrheit muß sein, daß Christine einfach nicht mit ihm im Doppelbett schlafen will. Hasi schlüpft unter die Bettdecke. Die Wahrheit muß sein, daß Berti Christine nicht nur gesucht, sondern auch gefunden

hat. Er hat ihr Geld gegeben, damit sie woanders übernachten kann.
Hasi steckt den abgenagten Daumen in den Mund und versucht, ein winziges Endchen Nagel zwischen die Zähne zu bekommen. Aber der Nagel ist schon völlig weggebissen. Hasi beißt an der Haut herum. Ihm fällt die Hasi-Mama ein. Traurig würde sie sein, wenn sie seinen Daumen jetzt sehen könnte. Schrecklich traurig. Hasi bekommt Sehnsucht nach der Hasi-Mama. Er ist so einsam und allein. Die Mama könnte ihn streicheln und trösten. Was tut er denn überhaupt da? Wieso liegt er auf einem knarrenden Bett unter einer kratzenden Decke, in einem häßlichen Zimmer, wo die scheußlichen Möbel böse Schatten werfen? Hasi vergräbt den Kopf im kleinen, weichen Polster. Am Morgen, ganz zeitig in der Früh, gleich wenn das Postamt aufsperrt, wird er die Mama anrufen. Die Mama ist noch zu Hause. Die Mexiko-Reise ist erst für nächste Woche geplant. Die Mama muß ihm helfen. Niemand sonst kann ihm helfen.
Draußen ist es schon dämmrig. Bald wird die Sonne hinter der Burg aufgehen, aus einem der Nachbarhäuser kommt Weckergeratsche, und Hasi schläft endlich ein.

Die Mittagglocken wecken Christine. Für einen winzigen Augenblick, unter geschlossenen Lidern, meint Christine zu Hause in Wien, in ihrem Zimmer in ihrem Bett zu liegen. Aber dort gibt es kein Glockengebimmel. Und so heiß, so schwitzig, klebrig heiß ist es dort auch nicht. Christine blinzelt und schließt die Augen sofort wieder. Es ist viel zu hell im Zimmer. Durch große, offene Balkontüren scheint Sonne auf das Bett, in dem sie liegt. Christine zieht das Leintuch, mit dem sie zugedeckt war, über den Kopf und will weiterschlafen. Jetzt weiß sie wieder genau, wo sie ist. In Christian-Michael Kirschhofers Bett ist sie! Im Haus seiner Eltern. Am »vornehmen« Ende des Ortes, zwischen Olivengärten. Gegen Mitternacht ist

sie mit Christian hergekommen. Vor den Balkontüren ist eine Terrasse. Von der Terrasse führen Steinstufen in einen Blumengarten hinunter. Ein Tisch mit Stühlen und einem Sonnenschirm steht auch im Garten. »Da frühstücke ich jeden Tag, Marie«, hat Christian zu ihr gesagt. Und dann sind sie leise über die Steinstufen und die Terrasse ins Zimmer geschlichen, damit seine Mutter nicht munter wird. Die hat nämlich einen zarten Schlaf und kann, wenn sie einmal wach geworden ist, nimmer einschlafen. Das ist aber ihr einziger Fehler, hat Christian gesagt, sonst ist sie in Ordnung.
Christine dreht sich seufzend im Bett herum. Einschlafen kann sie nicht mehr. Sie muß aufs Klo. Sogar ziemlich dringend. Sie steigt aus dem Bett und wickelt das Leintuch eng um den Leib. Außer den Balkontüren ist noch eine dritte Tür im Zimmer. In der Nacht ist Christian durch diese Tür gegangen, wie er Zigaretten und Mineralwasser geholt hat. Hinter dieser Tür wird irgendwo auch ein Klo sein. Und hoffentlich auch Christian. Er kann sie doch in dem fremden Haus nicht allein lassen.
Christine macht die Tür einen Spalt weit auf. Sie schaut in einen schmalen Gang, sieht gegenüber eine offene Zimmertür und in der Tür einen Stöckelschuh. Der Absatz vom Schuh ist mindestens zehn Zentimeter hoch. Es kann ja sein, daß es auch Mütter gibt, die solche Schuhe tragen, aber wahrscheinlich ist das nicht. Vielleicht gibt es eine Schwester im Haus? Der winzige Bikini, der neben dem Stöckelschuh liegt, gehört nämlich sicher keiner Mutter, wenn es nicht eine sehr sonderbare Mutter ist!
Christine tut einen Schritt in den Gang hinaus. Jetzt sieht sie mehr vom Zimmer mit dem Stöckelschuh. Und jetzt ist ihr ganz klar, daß das kein Mutter-Zimmer ist. Sowas merkt man einfach. Da wohnt eine jugendliche weibliche Person! Eindeutig! Eine ziemlich schlampige, die nach dem Baden das nasse Zeug nicht aufhängt. Überall liegen feuchte Bikiniteile und Badetücher und Handtücher herum.

Christine schleicht den Gang entlang. Sie tippt auf die schmale Tür am Ende des Ganges; die schaut ganz nach Klotür aus. Ist sie auch.
Neben der Klotür geht eine Stiege zum Erdgeschoß hinunter. Eine richtige Kitschstiege ist das. Aus verschnörkelten, weißlackierten Eisenstäben ist das Treppengeländer. Über die Stufen spannt sich rosaroter Plüsch. Christine beugt sich über das Schnörkelgeländer und hört Christians Stimme.
»So reg dich doch ab«, sagt er. »Das Leben hat eben noch Überraschungen für mich bereit. Wär ja auch traurig, wenn es anders wäre, oder?«
Dann seufzt jemand. Leidend und gequält. Ein entschieden weibliches Geseufze war das.
Christine geht ins Klo hinein, setzt sich ins marmoriert giftgrün Verkachelte und hört, weil sie die Klotür nicht zumacht, die gequälte Seufzstimme sagen: »Für mich ist das der Gipfel der Geschmacklosigkeit. Aber deine Weibergeschichten gehen mich nichts an. Tu, was du willst. Ich bin kein Sittenrichter. Aber laß mich aus dem Spiel!« Und nach einer kurzen Pause: »Eine in deinem Bett und eine im Garten draußen, eine, die schläft, und eine, die heult, das überschreitet meine Toleranzschwelle, Christerl!«
Jetzt sagt Christian flehend: »Mutti, diesen Zustand sollst du ja ändern!«
»Und wie?« Die Stimme ist nicht mehr leidend und gequält. Sie klingt schrill und empört. »Soll ich die Marita verschnüren und als Paket an ihre Eltern zurückschicken? Oder soll ich mich zu ihr raussetzen und ihr erklären, daß mein Sohn ein Schuft ist, und drauf warten, daß sie selber die Konsequenzen zieht?«
Christian unterbricht sie. »Red nicht so! Du sollst nichts anderes tun, als sie für zwei Stunden aus dem Haus schaffen. Alles andere mach ich schon.«
»Was ändern denn da ein, zwei Stunden?« Die Stimme klingt verdrossen, aber nicht komplett unwillig.

Christian merkt das, schmeichelt: »Doch, Mutti, doch! Es geht ja nur darum, daß meine Marie nichts merkt. Wenn die Marie aufwacht, muß die Marita weg sein, verstehst, Mutti?«
»Marie heißt die Neue? Wer heißt denn heutzutage noch Marie?«
Christine verläßt das giftgrüne Klo, ohne die Spülung zu ziehen. Sie kehrt leise in Christians Zimmer zurück und sagt sich dabei vor: »Ich hab ja auch den Hasi im Doppelbett! Warum soll er keine Marita im Haus haben? Klar! Einer wie er, der ist eben nie allein. Logisch! Dazu noch in den Ferien. Was vor mir war, geht doch mich nichts an, das ist wirklich nicht mein Bier!«
Christine geht auf die Veranda hinaus. Sie schleicht bis zur Steintreppe, duckt sich, damit man sie vom Garten her nicht sehen kann, und linst zwischen den Steinsäulen des Treppengeländers durch zum Gartentisch hin. Dort sitzt ein Mädchen. Ganz hübsch, aber nichts Besonderes, stellt sie fest. Kein Engel Elfriede. Rein äußerlich keine Konkurrenz. Aber vielleicht ist sie wesentlich hübscher, wenn sie nicht so verheult im Gesicht ist. Und vielleicht ist ihr Untergestell Spitzenklasse. Das Untergestell wird im Moment vom Gartentisch und dem langen Blumentischtuch verdeckt.
Unter der Terrasse geht eine Tür auf. Christine setzt sich auf die Stufen und macht sich so klein wie möglich. Eine Frau kommt in den Garten und geht zögernd auf den Gartentisch zu. Christine sieht nur die Hinterseite der Frau, eine magere Hinterseite mit braungedörrter, ziemlich schlaffer Haut an den Armen und am Rücken, soweit ihn ein Leiberl mit dünnen Trägern freigibt.
Die Frau setzt sich zum Gartentisch. Christine sieht ihr Gesicht. Das Gesicht ist ledern braungegerbt und hat strahlende Christian-Augen. Die Frau redet mit dem Mädchen. Sie spricht so leise, daß Christine kein Wort verstehen kann. Dann sagt das Mädchen mit krächzend lauter Stimme: »Warum

lügen Sie mich denn an? Ich weiß doch, daß eine bei ihm im Zimmer ist.« Die nächsten Sätze verwischt der warme Sommerwind. Christine möchte gern ins schützende Zimmer zurück, aber wenn sie jetzt aufsteht, bemerken sie die zwei beim Gartentisch. Auf allen vieren, auf dem Bauch vielleicht, den Rückzug antreten? – Davon würde das schneeweiße Leintuch dreckig werden. Und außerdem ist es unwürdig.
Christine hört das Mädchen sagen: »... weil seine Tür zugesperrt war, bin ich über die Terrasse in sein Zimmer. Ich wollt ihn aufwecken und fragen, warum er gestern ...« Das Mädchen redet nicht weiter. Es schluchzt. Die ledergegerbte Frau legt einen Arm um die Schultern des Mädchens. Das Mädchen schneuzt sich. Fragt: »Was würden denn Sie an meiner Stelle tun?«
Endlich ist die Stimme der Christian-Mutter so laut, daß Christine sie verstehen kann. Sie sagt: »Da kann ich keinen Rat geben, ich war noch nie in so einer Lage. Und das reichhaltige Liebesleben meines Sohnes ist mir weder rational noch emotional verständlich!«
Das Mädchen fragt: »Soll ich heimfahren? Oder in die Jugendherberge umziehen?«
Die Christian-Mutter seufzt tief. Unwillig sagt sie: »Was weiß denn ich!« Sie steht auf, will weggehen, entsinnt sich aber anscheinend dann ihres Auftrages und sagt: »Jedenfalls hat es keinen Sinn, da herumzuhocken und zu weinen. Ich fahr einkaufen, komm mit.«
Das Mädchen schüttelt den Kopf. »Ich muß mit ihm reden, ich hab ein Recht darauf, daß er mir das erklärt.« Das Mädchen steht auf, will zur Terrasse hin, zur Steinstiege. Christine spürt das Herz im Hals oben pochen und den Blutdruck in den Ohren.
Die Christian-Mutter hält das Mädchen zurück. »Er ist nicht mehr in seinem Zimmer. Vor einer halben Stunde ist er heruntergekommen. Er hat in der Küche gefrühstückt.«

»Die Rothaarige auch?«
Die Christian-Mutter überhört die Frage. »Und dann ist er gleich weg«, sagt sie. »Zu einem Freund, der gestern angekommen ist. Gegen Abend kommt er zurück. Es hat wirklich keinen Sinn, daß du da herumhockst. Komm!«
Das Mädchen zögert noch. Glaubt der Christian-Mutter anscheinend überhaupt nicht. Wagt aber nicht, ihr zu widersprechen. Die Christian-Mutter zieht das Mädchen hoch. »Kein Mann ist es wert, daß man einen Sonnentag wegen ihm verheult. Es imponiert den Herren auch gar nicht!«
Das Mädchen seufzt was, murmelt was, schneuzt sich und geht dann mit der Christian-Mutter ins Haus hinein.
Christine steht auf. »Pfui Spinne«, murmelt sie und schreitet ins Zimmer zurück. »Pfui Spinne«, murmelt sie noch einmal und setzt sich aufs Bett. Kaum zwei, drei Sekunden sitzt sie dort, da geht die Tür auf, und Christian kommt mit einem Frühstückstablett herein.
»Guten Morgen, Marie«, sagt er lächelnd, stellt das Tablett auf das Bett und versperrt – so ganz nebenbei – die Zimmertür.
Christine fühlt, wie sich Beklemmung in ihr breitmacht.
Christian lächelt, als sei die Welt in Ordnung, als sei überhaupt nichts passiert. Kein bißchen Unsicherheit ist im Lächeln, kein Fuzerl Verwirrtheit. Wüßte sie nicht durch zwiefaches Lauschen um die verzwickte Lage Bescheid, lebte sie weiter in Ahnungslosigkeit dahin. Aber sowas passiert wohl bei einer Liebe auf den ersten Blick! Wenn man sich für einen Körper entscheidet, hat man halt mit Überraschungen, den Charakter betreffend, zu rechnen.
Christian schenkt Christine Kaffee ein. »Milch?« fragt er leise. Man könnte seine Flüsterstimme für liebevolle Zärtlichkeit halten, wüßte man nicht, daß ihn unten im Haus ein Mädchen namens Marita für abwesend halten soll.
Christine nickt.
Christian gießt Milch in den Kaffee.

Zwischen den Türen zur Terrasse hin steht eine Stereoanlage. Auf dem Plattenspieler liegt ein Cohen-Cover. Christine deutet auf das Cover. »Leg ihn auf, bitte!«
»Später, Marie«, murmelt Christian und tut, als müßte er unbedingt seine Marie küssen. Der Kuß ist genauso wie gestern, wie heute nacht.
Draußen startet ein Auto. Christian beendet den Kuß, lauscht dem Autogeräusch nach. »Meine Mutter«, sagt er, »die ist in den Ort gefahren.« Er geht zur Stereo-Anlage und legt den Cohen auf. Cohen singt: »All summer long she touched me, she gathered in my soul ...«
Christian singt mit, sagt dann: »Marie, beeil dich mit dem Frühstück. Wir gehen weg. Wir feiern.«
»Was feiern wir denn?«
Christian zuckt mit den Schultern. »Den zweiten Tag unserer Liebe, oder den ersten Tag vom Rest unseres Lebens.«
»Kann ich noch duschen, Christian?«
Christian ist dagegen. Weder duschen noch waschen soll sich Christine. »Wir gehen da runter.« Er zeigt in den Garten hinaus. »Und steigen ins Meer, Marie. Zuerst schwimmen wir, und dann segeln wir die Bucht rüber und gehen in den Ort Mittagessen.«
»O. K., Christian«, sagt Christine. Sie hat nicht die Absicht, ihrer Liebe-auf-den-ersten-Blick das Leben schwer zu machen. »Nur hab ich keinen Badeanzug mit«, sagt sie.
»Badeanzug, Badeanzug?« Christian sinnt mit Stirnfalten. »Ich mein, Marie, da kann ich aushelfen!«
Wenn er jetzt rübergeht, in das unaufgeräumte Zimmer, und eins von den nassen, verwurstelten Dingern rüberholt, denkt Christine, dann reißt mir die Geduld. Trotz aller Liebe auf den ersten Blick!
Christian geht zum Schrank und holt eine Schachtel heraus. Aus der Schachtel nimmt er eine kleine Tragtasche, aus der Tragtasche ein staunenswert winziges Bikiniding. Es ist

schwarz. »Das wollt ich vorigen Sommer jemandem schenken«, sagt er, »aber dann war keine Gelegenheit mehr dazu.«
Christine zieht den Bikini an. Er paßt.
Cohen singt: »And the light came from her body and the night went through her grace ...«
Christian schaltet die Stereo-Anlage trotz Christines Protest ab. Er will nichts als weg. Tut, als sei die Pockenpest im Haus ausgebrochen.
»Na gut«, sagt Christine und zieht Bluse und Jeans an.
Sie geht mit Christian auf die Terrasse, steigt die Steintreppe hinunter, zeigt zum Gartentisch, zum benützten Frühstücksgeschirr und fragt: »Hast du hier Frühstück gegessen, Christian?«
»Nein.« Christian schüttelt den Kopf.
»Deine Mutter?« fragt Christine.
»Nein.« Christian schüttelt wieder den Kopf, und Christine denkt erleichtert: Fein! Er lügt gar nicht wirklich, er verschweigt nur allerhand.

10. Juli

Berti, der Gelassene, Berti, der Einsichtige, Berti, der Verständnisvolle, sitzt unter dem Weinlaub vor seiner Wohnungstür, trinkt einen Campari und ist verzweifelt, weil ihm die Gelassenheit, die Einsicht und das Verständnis abhanden gekommen sind. Er fühlt sich nicht in der Lage, den verstörten, verzweifelten Hasemann gelassen zu ertragen. Es ist ihm nicht einsichtig, daß sein Engel Elfriede wegen einer uralten Puzzi-Tante in Panik gerät und pro Tag nur drei Stunden Zeit für ihn erübrigt, während die Puzzi-Tante Siesta hält. Und er hat kein Verständnis dafür, daß »Christerl der Schöne« ausgerechnet sein Mädchen, seine kleine Schwester betören muß.

»Scheiße, gottlose, lästerliche Scheiße«, schimpft Berti vor sich hin. Die Sache mit Christine ist wirklich ärgerlich, die Sache mit dem Engel Elfriede ist noch ärgerlicher, aber der Hasemann, unter ihm, der macht ihm die meisten Sorgen. Hockt da grottenolmig hinter geschlossenen Fensterläden und spielt tot. Und man muß direkt Angst haben, daß er nicht auch sterben spielt, raufrennt und sich von den Burgzinnen stürzt! Sich an der Messingvorhangstange aufknüpft oder sich ein Küchenmesser in die Brust sticht!

Berti lächelt vor sich hin. Nein, Hasemann auf der obersten Burgzinne, Hasemann an der Vorhangstange, Hasemann mit einem Messer in der Brust, das ist nicht gut vorstellbar. Das schafft Mamas Liebling nicht. Bevor er auf der obersten Zinne ist, hat er sich den Knöchel verstaucht; wenn er sich an die Messingstange knüpft, wird die Stange aus der Mauer brechen, und mit dem Fleischmesser wird er sich gegen eine Rippe stechen und es dann sein lassen.

Berti zündet sich eine Zigarette an. Er hört zu lächeln auf und flucht: »O du Hölle!«

Eben ist ihm der idiotische Medizinkoffer von Hasemann eingefallen. Wenn der Kerl den leerfrißt, dann ist die Scheiße am Dampfen! Berti wirft die Zigarette weg und steigt die Treppe unter dem Weinlaub hinab. Vorsichtig probiert er an der unteren Wohnungstür. Sie ist nicht versperrt.

Hasemann liegt auf dem großen Bett, wie eine aufgebahrte Leiche liegt er und starrt zur Zimmerdecke.

Berti schaut sich nach dem Medizinmann-Koffer um. Der lehnt im Winkel beim Schrank, genau in der Lage wie vorgestern nach dem Einzug. Es ist unwahrscheinlich, daß ein Mensch, nachdem er dem Koffer Selbstmörderisches entnommen hat, ihn wieder so hinstellt wie vorher. Der müßte schon Bertis Ordnungs-Neurose haben. Aber dann würde der Koffer überhaupt nicht so schlampig in einem Winkel lehnen.

»Hasemann, ich geh baden. Gehst mit?« fragt Berti.

Hasemann rührt sich nicht.
»Hat ja keinen Sinn, daß du da herumliegst und trauerst. Komm schon!«
Hasemann seufzt und macht ein Gesicht, das heldenhaft verbissenen Schmerz demonstrieren soll.
Lächerlich schaut er aus, denkt Berti. Leid tut er ihm trotzdem. Berti setzt sich auf das Bett. »Schau, Hasemann«, sagt er, »junge Mädchen spinnen eben. Und meine Schwester, die spinnt halt besonders. Das renkt sich schon wieder ein.«
Hasemann, immer noch aufgebahrte Leiche, sagt: »So kann sie mich nicht behandeln. So nicht!« Hasemann richtet sich auf und schreit: »Und du auch nicht! Du schon gar nicht!«
Na klar! Undank ist der Welten Lohn! Da schert man sich um diesen Unglückshaufen, da nimmt man sich an um diesen neurotischen Wurm, und dann beschwert sich der Gnom!
»Also bitte, was hab ich dir denn getan?« empört sich Berti.
Jetzt ist die Leiche wieder komplett lebendig. »Du weißt, wo sie ist! Du kannst mir nicht einreden, daß du keine Ahnung hast! Da wärst du doch längst auf die Polizei gegangen!«
Berti weicht aus. »Warum soll ich mich in eure Angelegenheiten mischen, Hasemann. Das ist euer Kaffee. Ich halt mich da raus.«
»Du Arschloch, du«, brüllt Hasi. Er nimmt den Polster, hält ihn mit einer Hand fest und boxt mit der anderen drauflos. »Du mieses Arschloch, du! Was soll ich denn tun? Ich weiß doch nicht, wo sie ist!« Hasis Stimme kippt, wird kreischend. »Ich kann sie nicht einmal suchen gehen. Ich hab die Kontaktlinsen verloren! Ich seh nichts!«
»Gar nichts?« Berti ist echt entsetzt.
»Natürlich seh ich was.« Hasi beruhigt sich wieder, legt den Polster weg und schreit nicht mehr. »Ich bin ja nicht blind. Aber schlecht seh ich eben. So wie man mit drei Dioptrien halt sieht.«
Berti ist beruhigt. Das hätte ihm noch gefehlt, daß er für

Hasemann einen weißen Stock und eine Armbinde erstehen muß.
»Jetzt paß auf, Hasemann«, sagt Berti, »jetzt betrachte die Sache einmal gelassen.«
Hasi schaut drein, als ob er sich diesbezüglich Mühe geben wollte.
»Das Mädchen ist einem schönen Knaben ins Netz gegangen!«
Berti wartet auf eine Reaktion von Hasemann; es erfolgt keine sichtbare Reaktion. Er redet weiter. »Sowas kann passieren. Jedem von uns. Dir auch.«
Hasemann schüttelt entschieden den Kopf.
»Doch, doch, Hasemann. Und ich hab dir nur deswegen davon nichts gesagt, weil ich der Ansicht bin, daß sie dir das selber sagen muß. Und sie hat mir ja gestern auch geschworen, daß sie herkommt. Und demnächst muß sie ja wirklich kommen. Sie kann ja nicht eine Woche lang in derselben Hose herumrennen.«
»Ein Italiener?« fragt Hasemann.
»Nein, ein Tiroler! Und jetzt komm, gehn wir baden!«
Hasi will nicht. Damit er Christine nicht verpaßt, wenn sie Kleidung wechseln kommt. »Und wenn der Tiroler-Jogl mitkommt, dann schlag ich ihn zusammen!«
Berti besteht darauf, daß Hasi zum Baden mitgeht. Selbstmordgefährdet scheint er zwar nicht mehr, aber das kann sich leicht ändern. Da braucht nur Christine zu kommen, ihre Sachen zu holen, und »Christerl der Schöne« lehnt vielleicht begleitenderweise vor dem Haus, und schon kann sich der arme Hasemann über den Medizinkoffer hermachen.
»Hasemann«, sagt Berti, »schau, Hasemann«, Berti zögert, weil ihm das, was er sagen will, unheimlich blöd vorkommt. »Du mußt dir nur eins überlegen. Ob du mein verehrtes Fräulein Schwester wirklich liebst?«
»Da brauch ich nicht überlegen«, ruft Hasi. »Das weiß ich doch!«

»O. K., O. K.« Berti tut, als hätte er der Weisheit letzten Schluß erfaßt. »Dann brauchst du nur zu warten. Der Tiroler, der hat nämlich ohnehin eine andere. Und die ist zäh. Die läßt ihn nicht so leicht aus. Und weißt du, der ist so ein Typ, der geht jedem Ungemach aus dem Weg.«
Hasi springt auf, geht im Zimmer auf und ab. »Und dann, wenn der sie stehenlaßt, dann soll ich sie wieder nehmen?«
»Mußt ja nicht«, sagt Berti. »Aber wennst sie so irrsinnig liebst!«
Hasi schlägt sich ein Knie an der Sesselkante. »Kommt doch nicht in Frage«, schreit er und reibt sich das schmerzende Knie, fragt dann leiser und zögernd: »Bumst sie mit dem?«
»Keine Ahnung«, lügt Berti.
»Ehrenwort?«
Berti leistet ohne Scheu den Meineid. Und wird, ohne zu wissen, wie er zu dieser Qual kommt, zum Beichtvater. Hasi offenbart ihm die traurige Geschichte seiner sexuellen Mißerfolge mit Christine. Ob sie das vielleicht in die Arme des Tirolers getrieben haben könnte?
Berti, mildtätig und verlogen, lehnt diese Theorie ab. Schiebt alles auf Christerls Glitzeraugen, Edelnase und Goldschopf und denkt, während er beruhigend auf Hasi einredet: Herr im Himmel, bin ich froh, daß ich das erste Mal längst hinter mir hab!
Endlich ist Hasi zum Strandbesuch bereit. Das Argument, daß ein schneeweiß-häutiger Hase bei Christines reuevoller Heimkehr ein unansehnlicher Anblick wäre, hat ihn badewillig gemacht. Und seelisch aufgerichtet scheint Hasi auch wieder, denn er ist in der Lage, von seiner Person abzusehen, und erkundigt sich, was Engel Elfriede macht, wieso die nicht vorhanden ist. Berti erzählt ihm von seinen Schwierigkeiten mit dem Engel. Das eint. Sie packen ihre Badesachen und marschieren zum Strand hinunter. Hasi ist immer noch sehr unglücklich. Aber er hat das Gefühl, in Berti plötzlich einen

wirklichen Freund gefunden zu haben. Dieses Gefühl gibt ihm Trost und macht alles halb so schlimm.

11. Juli

Christine liegt hinter der Madonna auf der Decke. Allein. Christian ist vor zwei Stunden weggegangen. Seine Mutter, hat er gesagt, muß er zum Arzt bringen, weil sie sich den Knöchel verstaucht hat. In einer Stunde, ungefähr, wollte er wieder zurück sein. Die Stunde ist längst um. Seine Mutter hat sicher gar keinen verstauchten Knöchel. Ledergegerbte Personen haben Stahlrohrgelenke. Denen passiert nichts. Christine überlegt, ob sie nachdenken soll. Sie traut sich zu, ihre komplizierte Lage durchzudenken. Sie weiß bloß nicht, ob sie das möchte. Doch im Gestrüpp dahinzudämmern, liegt ihr auch nicht. »Pfui Spinne«, murmelt Christine. »Pfui Spinne!«
Seit Tagen, seit einer kleinen Ewigkeit, tut Christine nichts anderes mehr, als an den verschiedensten Orten herumzuliegen und sich Liebesschwüre anzuhören.
Ist doch was, redet sich Christine gut zu. Natürlich, das ist was! Endlich weiß sie, daß sie beileibe nicht frigide ist! Daß sie an dem fürchterlichen Schlamassel in Hasis Bett gar keine Schuld hat. Und überhaupt sind Liebesschwüre von einem schönen Mann nicht zu verachten. Geliebt werden ist schön. Lieben ist schön. Klar liebt sie! Was wäre es denn sonst als Liebe, was ihr das Herz klopfen macht und im Bauch so zieht, wenn sie Christian anschaut. Und wenn er sie anschaut, kann sie nur mehr ganz flach, ganz flattrig atmen. Das muß einfach Liebe sein. Die wahre Liebe.
Christine erinnert sich an Rehatschek-Worte. Die Rehatschek hat einmal über eine Frau gesagt: »Die legt sich mit jedem gleich ins Bett, die lernt die Männer im Bett kennen. Das erscheint der als die einfachste Art, jemand kennenzulernen!«

Pfui Spinne, so ein Mist! Gar nichts lernt man kennen. Den eigenen Körper vielleicht – wie der worauf reagiert –, aber sonst? Sonst erfährt man nicht viel von dem, der ober einem, unter einem, neben einem liegt.
Christine steht auf, zieht sich an, rollt die Decke zusammen und schiebt sie unter die Brombeeren.
Es ist sonnenklar, daß Christian jetzt bei dieser Marita ist. Es ist auch sonnenklar, daß Christian gestern abend mit ihr nur deswegen im Nachbarort übernachtet hat, weil diese Marita bei ihm zu Hause geschlafen hat. Da kann er noch so viel daherreden von romantischer Bucht und wunderschönem Restaurant und herrlichem Hotelzimmer. Alles ist sonnenklar! Nur, was er sich für die Zukunft vorstellt, das ist nicht klar. Will er das Idiotenspiel vielleicht die nächsten drei Wochen lang durchhalten?
Christine steigt den Weg zur Burg hinauf. Der Gedanke, daß Christian jetzt mit dieser Marita irgendwo hockt und zärtlich zu ihr ist, sticht in ihr. Sticht wirklich. Sie spürt die Stiche von den Bronchien abwärts bis zum Oberbauch.
Christine geht über den Platz vor der Burg. Sie geht zur Mauer und setzt sich genau dort hin, wo sie vor einigen Tagen gehockt ist. Sie zieht die Beine an, schlingt die Arme um die Beine und wartet. Sie wartet auf eine Hand, die sich auf ihre Schulter legt, auf eine Gürtelschnalle, die sie zwischen den Schulterblättern spürt, auf eine sanfte, tiefe Stimme, die sie vor dem Absturz warnt.
Ein kugeläugiger Jung-Italiener setzt sich neben sie und fragt, ob sie aus Deutschland kommt. Er hat eine Hühnerbrust, reichlich behaart, sein Hemd ist bis zum Hosenbund aufgeknöpft; ein großes Silberkreuz baumelt über der behaarten Hühnerbrust.
Christine steigt vergrämt von der Mauer. Sie geht zur Burg hin. Der Jung-Italiener kommt hinter ihr her und lädt sie zu einem Kaffee ein.

Christine schüttelt ablehnend den Kopf.
Der Jung-Italiener lädt sie zum Tanzen ein.
»Nein, danke, wirklich nicht«, sagt Christine.
Den Jung-Italiener stört das nicht, der bleibt weiter neben ihr.
Christine wird wütend. »Lassen Sie mich in Ruhe«, faucht sie.
Der Jung-Italiener lächelt, als hätte sie ihm eine Liebeserklärung gemacht.
Christine merkt, daß ihre Lage beschissen ist. Bleibt sie vor der Burg stehen, meint der Trottel, er gefällt ihr. Geht sie zur Madonna zurück, folgt er ihr. Dann wird sie ihn überhaupt nicht mehr los. Geht sie in den Ort hinunter, verpaßt sie garantiert den zurückkehrenden Christian.
Der Jung-Italiener wird immer lästiger, sagt: »Komm, Fräulein, komm!« Es klingt, als ob er einen scheuen Hund locken wollte. Er versucht, sie an der Hand zu nehmen. Je verbitterter Christine schaut, je böser sie ihm Ablehnendes zuzischt, um so interessierter scheint er zu werden.
Damit er sie nicht mehr an der Hand fassen kann, verschränkt Christine die Arme über der Brust. Aber jetzt greift der Idiot in ihre Haare und murmelt Lobendes über ihre Haarfarbe. Er drängt sich dicht an sie. Alles an ihm wirkt peinlich, und dazu ist der Kerl um einen halben Kopf kleiner als Christine.
Christine gerät in Panik. Sie muß weg von hier. Sie geht auf die Treppengasse zu, steigt Stufe um Stufe bergab; der Idiot, täubisch gurrend, neben ihr her.
»Verschwind, du Trottel«, schreit Christine.
Der Jung-Italiener packt sie an der Schulter. »Fräulein, nicht böse sein«, sagt er. »Fräulein, schönes Fräulein.«
Christine und ihre Belästigung sind nur mehr zwei Häuser weit vom Haus mit dem Türschild *Dott. Dettoni* entfernt. Christine hat viel zu kurz in diesem Haus gewohnt, als daß es für sie »zu Hause« und »heimatlich« wäre, aber Zuflucht ist es jetzt. Sie fängt zu laufen an, läuft die Stiege zu Bertis Wohnung hinauf und läßt sich unter dem Weinlaub in den Liegestuhl fallen. Sie

trinkt das halbvolle Campariglas, das neben dem Liegestuhl auf dem Boden steht, in einem Zug leer.
Der Jung-Italiener steht unten bei der Stiege und schaut herauf. Christine überlegt, ob Berti daheim ist. Berti muß zu Hause sein. Ordentlicher Berti hätte vor dem Weggehen das Campariglas hineingetragen und den Liegestuhl zusammengeklappt. Der Jung-Italiener steigt die Stiege herauf. Christine ruft: »Berti! Berti!«
Der Jung-Italiener hat schon ein zögerndes Bein auf den Terrassenfliesen, da kommt endlich Bertis Stimme von drinnen: »Mädchen, bist du's?«
»Ja«, schreit Christine. »Ein Trottel verfolgt mich! Überallhin rennt er mir nach!«
»Was ist los? Wer verfolgt dich?« Berti kommt nicht aus der Wohnung heraus, aber der Jung-Italiener dreht, als er die Männerstimme hört, um und steigt die Stiege hinunter.
Christine schaut ihm nach und kann trotzdem nicht erleichtert sein. Von einer Kalamität fällt sie in die andere! Den glutäugigen Deppen ist sie los. Dafür sitzt sie jetzt auf Hasis Dach oben! Wenn Hasi zu Hause ist, wenn der jetzt aus seiner Wohnung kommt, kann sie ihm nicht mehr entkommen. Natürlich kann sie ihm nicht ewig aus dem Weg gehen, natürlich muß sie bald mit ihm reden. Aber nicht gerade jetzt! Zuerst muß sie sich eine Ansprache für ihn zurechtlegen. Dazu hat sie noch keine Zeit gehabt. Sie hat wirklich keine Ahnung, was sie Hasi sagen soll. Wie sie Hasi die ganze Sache erklären soll.
Bertis Wohnungstür geht auf. Berti, in einer gestreiften Bermuda, kommt auf die Terrasse, schaut herum und fragt: »Wo ist denn der Trottel?«
»Wie er deine Stimme gehört hat, ist er weggerannt«, sagt Christine.
Berti setzt sich neben seine Schwester auf den Kachelboden. »Mädchen, Mädchen«, murmelt er, »du hast vielleicht Nerven! Da hat man sie soweit und endlich im Bett drinnen, und in dem

Augenblick kommst du daher und schreist interruptierend herum!«
»Entschuldige«, sagt Christine, »aber ich hab wirklich nimmer gewußt, was ich tun soll, Knabe Bruder!«
»Mädchen, Mädchen«, seufzt Berti, »das scheint ein latenter Zustand bei dir zu werden.« Er streichelt sanft Christines Arm. »Wie geht es dir denn überhaupt?«
»Wie geht's denn dem Hasi?« fragt Christine.
»Dreckig, Mädchen, sehr dreckig.«
»Ist er unten?« Fast flüstert Christine.
Berti sagt, daß Hasi spazierengegangen ist. »Wahrscheinlich sucht er dich wieder einmal. Aber da er seine Glasaugen verloren hat, wird er dich ja kaum gesehen haben.«
Christine fängt zu weinen an. Dicke Tränen rinnen über ihre Wangen. Sie wischt sie mit dem Handrücken weg. Neue Tränen kullern nach.
»Jetzt heul doch nicht«, jammert Berti. »Warum, du Hölle, heult denn in letzter Zeit jeder! Ich flipp ehrlich noch aus, wenn die Heulerei kein Ende nimmt!«
Christine bemüht sich, der Tränen Herr zu werden. Es geht nicht. Hasis Kontaktlinsenverlust, die Vorstellung von einem kurzsichtig hilflos nach ihr ausschauenden Hasi regen ihre Tränendrüsen enorm an. Sie schluchzt: »Er tut mir so leid!«
Berti reicht ihr ein zerknittertes, verschneuztes Taschentuch.
Christine schnaubt ins Taschentuch: »Ich liebe ihn doch so!«
»Den Hasi?« Berti ist verwirrt.
»Nein«, schluchzt Christine. »Den Christian!«
»Ach so«, Berti seufzt. Es klingt frustriert.
Christine schämt sich wegen des verkitschten Emotionsausbruches vor Knaben Bruder. Sie wischt mit dem Taschentuch über die Wangen. Rotz aus dem Taschentuch bleibt am nassen Gesicht kleben. »Kann ich mir das Gesicht waschen?« fragt sie.
Berti nickt zögernd. »Schon«, sagt er, »nur, ich habe Besuch drinnen.«

Christine steht auf. »Ich stör deinen Engel ja gar nicht. Ich geh nur ins Bad rein.«
Christine betritt den winzigen Vorraum von Bertis Wohnung. Die Tür zum großen Zimmer steht offen. In Bertis Bett, in ein Leintuch gehüllt, sitzt ein Mädchen und manikürt seine Fingernägel. Engel Elfriede ist das nicht! Das Mädchen schaut von den Nägeln hoch. Christine reißt die Badezimmertür auf und flüchtet ins Bad hinein. Sie setzt sich auf die Klomuschel und glotzt entgeistert in den großen Spiegel an der Wand gegenüber. »Pfui Spinne«, murmelt sie. »Pfui Spinne!«
Wenn sie nicht komplett wahnsinnig geworden ist und von Trugbildern genarrt wird, dann ist das nagelfeilende Mädchen in Bertis Bett niemand anderer als das heulende Mädchen in Christians Garten.
»Kann ich reinkommen?« Ohne Christines Antwort abzuwarten, kommt Berti ins Badezimmer. Er hockt sich auf den Wannenrand und sagt: »Der schöne Christerl hat mich gebeten, sie zu übernehmen. Und da mein Engel ohnehin kaum Zeit hat . . .« Berti zuckt vage mit den Schultern, seufzt, fährt fort: »Aber sag ihm nicht, daß ich dir das gesagt hab. Er will nicht, daß du was von ihr erfährst. Aber schließlich, Mädchen, stehst du mir näher als er!«
»Und sie ist gleich mit dir ins Bett gegangen?«
Berti grinst. Sagt, er kennt die Marita schon lange, die rennt ja schon über ein Jahr mit dem Christerl herum. Berti grinst noch mehr. »Aber heut war es das erste Mal, daß er mich darum ersucht hat. Verstehst?«
Christine versteht. Sie steht auf und wäscht sich das Gesicht mit kaltem Wasser. Sie trocknet das Gesicht ab. »Knabe Bruder«, sagt sie. »Gib mit Geld. Ich möchte was essen gehen. Ich bin hungrig!«
Berti erklärt, Hunger habe er auch. Und die liebe Marita sei ohnehin dauernd auf Nahrung aus. »Gehn wir zusammen essen«, schlägt er vor.

»Ich und sie?« Christine ist ehrlich entrüstet. Sie empfindet den Vorschlag als Geschmacklosigkeit. Als Zumutung sowohl für sie als auch für diese Marita.
»Aber warum denn?« Berti ist erstaunt. »Du bist ein liebes Kind, und sie ist auch ein ganz liebes Kind.« Berti nimmt Christine an der Hand und zieht sie aus dem Badezimmer. Christine sträubt sich, aber die Wegstrecke zwischen Bad und Zimmer ist so kurz, daß ihre Gegenwehr keine reale Chance hat. Berti schubst sie quer durch den Vorraum und drängt sie ins Zimmer hinein. »Marita, das ist meine liebe Schwester«, sagt er.
Das Mädchen, das vorher im Bett gesessen hat, steht jetzt beim Fenster und hat ein weißes Kleid an. Das Mädchen betrachtet Christine eingehend, nickt, sagt: »Ja, ich weiß. Wir kennen uns schon. Das heißt, ich kenne sie.«
Christine spürt, daß sie rot wird.
Das Mädchen sagt, ohne speziellen Gram in der Stimme: »Gestern in der Früh, Sie sind im Bett gelegen, Sie haben noch geschlafen.«
Berti protestiert gegen das »Sie«. Nette, liebe, goldene Jeunesse untereinander, meint er, habe sich des netten, lieben, goldenen »Du« zu befleißigen. »Und schaut euch nicht so komisch an«, sagt Berti, »das wirkt ja direkt feindlich, seid nett zueinander, Kinder!« Berti lacht. »Schließlich verbindet euch ja eine gemeinsame Zuneigung. Und ich liebe euch auch beide! Ganz irrsinnig liebe ich euch!«
Das Mädchen Marita schaut Berti an. Berti geht zu Marita hin, küßt sie auf die Wange, macht kehrt, kommt zu Christine und küßt sie auf die Wange. Seit einer Ewigkeit schon hat Christine von Knaben Bruder keinen Kuß mehr bekommen.
»So, Kinder«, strahlt Berti, »nach dieser guten Aussprache können wir ja essen gehen!«
Ordentlicher Berti holt von der Terrasse das Campariglas, spült es im Badezimmer aus und stellt es im Zimmer ins Regal.

Marita lächelt. Das Lächeln gilt Christine. Und Christine, ohne es wirklich zu wollen, lächelt auch.
Es wird Abend. Die Sonne inszeniert orangefarben einen pompösen Untergang im Meer, und Berti, den linken Arm um Christines Schultern, den rechten um Maritas Schultern, strebt dem feudalen Garten des »Golfo dei Poeti« zu. Ein teures Essen wird das werden! Aber Berti findet, daß ihm jetzt ein vornehmes Lokal und eine artige Speisenfolge zusteht. Das hat er sich verdient. Schwerarbeit hat er schließlich hinter sich. Stolz ist er auf sich. Das soll ihm erst einmal wer nachmachen: »Christerls Lieben« hat er friedlich unter seinen Fittichen vereint. Das ist für den Anfang genug! Das ist der Beginn einer Säuberungsaktion! Berti mag keine Unordnung, und Unordnung in den zwischenmenschlichen Beziehungen stört ihn am meisten, macht ihn traurig und verwirrt. In Liebesbeziehungen muß Ordnung gebracht werden. Es muß ja nicht unbedingt eine bürgerliche Ordnung sein. Andere Arten von Ordnung sind da auch möglich. Strenge Ordnungen: Montag–Mittwoch–Freitag, die eine Dame. Dienstag–Donnerstag–Samstag, die andere Dame. Und den Sonntag zur freien Wahl. Und wenn man Urlaub macht, läßt man die eine Dame und die andere Dame zu Hause und widmet sich komplett der dritten. Und wenn man nicht tückischerweise seine Schwester in diesen unordentlichen Wust von Erotik reingezogen hätte, würde er sich ja um anderer Leute Dreck nicht scheren. Aber Berti hat auch Familiensinn. Das Mädchen muß er aus dem Schlamassel herausholen. Seiner Schwester soll kein übermäßiger Schaden zugefügt werden. Für das Mädchen muß er eine neue Ordnung schaffen. Das Mädchen gehört weit mehr zu seinem Leben als alle Engel und alle Maritas zusammen.
Ein Ober, Maestro Karajan nicht unähnlich, führt Berti zu einem Tisch unter Riesenoleander; ein anderer Ober, eher Sängerknabe als Karajan, bringt die ledergebundenen Speisekarten. In fehlerfreiem Deutsch fragt er nach den Aperitif-

Wünschen. Marita will einen steifen Martini, Christine will gar nichts und bekommt von Berti einen Grappa verordnet, weil er selber auch einen bestellt.
Christine, ohne Erfahrung im Schnapstrinken, leert den glasklaren Grappa in einem Zug und kriegt Atembeschwerden der Art, daß sie nicht mehr Luft holen kann.
»Spiel nicht den kleinen Suffel«, rügt Berti.
Christine studiert die Speisekarte, wartet, daß sich die Atemnot legt, und linst dabei verstohlen zu Marita, die leise murmelnd das Vorspeisenangebot herunterbetet. Mit dem heulenden Haufen Unglück an Christians Gartentisch, stellt Christine fest, hat diese Person nichts mehr gemein. Zufrieden schaut die Person aus, scheint als einziges Problem die Qual der Wahl zwischen Melone mit Schinken und Scampi-gegrillt zu haben. Christine hat das dicke Speisenbuch, bis zu den Flaschenweinen hin, durchstudiert. Sie hat gar keinen Hunger mehr. Nicht einmal Appetit hat sie. Sie fragt, ob man da unbedingt was essen muß, ob der Ober bös wird, wenn sie nichts bestellt.
Berti rügt sie zweifach: weil sie nichts essen will und weil sie so kindisch ist, daß sie sich um den Ober Gedanken macht. Berti bestimmt, daß Christine ein Kalbssteak mit Salat bekommt. Um das zu essen, muß man nicht hungrig sein.
Marita fordert Schinken mit Melone, ein T-bone-Steak, einen doppelten Salat und in Biskuit gebackenes Eis. Sie sagt zu Christine: »Ich bin nämlich immer hungrig!«
Berti diskutiert mit dem Karajan-Ober endlos über Fische. Er will einen Fisch essen, einen ganz speziellen, und kennt seinen Namen nicht. Berti schildert dem interessierten Karajan ausführlich Figur, Farbe, Geschmack, Schuppenart und Augenlage des Fisches. Der Karajan schleppt Berti zu einem großen Aquarium ab.
Marita sagt: »Ich mag keine Fische, ich mag nur Schalentiere!«
Bevor sich Christine die freundlich zustimmende Antwort zurechtgebastelt hat, fragt Marita: »Wo ist denn der Christian?«

Christine zuckt mit den Schultern, merkt, daß ihr Marita nicht glaubt, will nicht als Feindin dastehen, sagt: »Ich weiß es wirklich nicht«, und findet, daß das kläglich klingt. Sie sollte wissen, wo Christian steckt! Sonst ist sie ja um nichts besser dran als ihr Gegenüber! Aber plötzlich ist es Christine ganz egal, ob sie genauso mies dran ist wie Marita. Sie sagt: »Er ist weggegangen. Er hat gesagt, er muß mit seiner Mutter zum Arzt.« Und dann – ist die Kuh hin, kann's Kalb auch hin sein – fügt sie hinzu: »Eigentlich hab ich gedacht, daß er zu dir geht.«
»Er ist ein Schuft«, murmelt Marita. »Feig ist er außerdem.«
Berti kehrt zum Tisch zurück, strahlt, weil er im Aquarium den Fisch, nach dem sein Sehnen ging, gefunden hat, strahlt doppelt, weil er Christine und Marita so friedlich einig vorfindet, und strahlt dreifach, weil Engel Elfriede in den Restaurant-Garten kommt. Dicht hinter ihr watschelt eine dicke alte Frau.
»Kinder, Kinder«, sagt Berti verschwörerisch, »die lock ich jetzt her! Das schickt sich ja heut alles auf das Schönste!«
Berti beugt sich zu Marita: »Und du bist jetzt meine Braut, ja, Lieb-Marita?«
»Deine Witwe wär ich lieber.« Marita schaut gequält.
»Später einmal, später einmal«, sagt Berti und winkt dem Engel zu. Der Engel sieht Berti, erschrickt ein bißchen, winkt lahm zurück.
Marita deutet auf Christine. »Sie darf deine Schwester bleiben?«
Berti hört es nicht mehr. Er eilt auf den Engel und die Alte zu. Marita erkundigt sich bei Christine, wer denn um alles in der Welt diese wunderschöne Frau ist. Christine schweigt, weil sie nicht weiß, ob sie Marita die Wahrheit sagen darf.
»Steht er auf die?« fragt Marita.
»Eigentlich hab ich keine Ahnung«, murmelt Christine und findet, daß das gar nicht sehr gelogen ist.
Berti bringt den Engel samt der Alten zum Tisch. Die Alte hat vier Ringe an der rechten Hand und drei an der linken; keiner

ist kleiner als eine Walnuß. Ihr Gebiß ist eindeutig falsch, höchstwahrscheinlich hat sie auch eine Perücke auf.
Die Alte reicht ihre Patschhand herum. Engel Elfriede redet italienisch auf sie ein. Berti erläutert: »Sie sagt, daß ich ein Wiener Jugendfreund bin, aus ihrer Kindheit!«
»Bist du das, lieber Bräutigam?« fragt Marita.
»Aber natürlich.« Berti lächelt und zwinkert mit einem Auge. Ob er dem Engel oder Marita zublinzelt, kann Christine nicht genau entscheiden.
»Würdest du so lieb sein, Elfriede, und meine liebe Braut deiner lieben Tante vorstellen?« Jetzt zwinkert Berti eindeutig dem Engel zu.
Die Tante erfreut sich ungemein daran, daß ein Brautpaar am Tisch ist. Sie setzt sich neben Christine und übernimmt den Vorsitz an der Abendbrottafel und erkundigt sich, mit dem Engel als Dolmetsch, nach den näheren Umständen von Braut und Bräutigam, will den Hochzeitstermin wissen, fragt, ob die Wohnverhältnisse schon geklärt sind, läßt ausrichten, daß man auf gar keinen Fall zu den Eltern ziehen soll, weil das nur Unfrieden für alle ins Haus bringt, und erkundigt sich, wieviele Kinder die Braut haben möchte und ob vielleicht eines davon schon unterwegs ist. Außerdem ist sie überzeugt davon, daß Christine eine hübsche Kranzeljungfrau abgeben wird.
Der Sängerknabenober bringt das Essen für Marita und Christine. Die Tante ist der Ansicht, daß man beim Essen nicht reden soll, weil das den Magennerven schadet. Sie vertieft sich ins dicke Speisenbuch. Dabei murrt sie grämig vor sich hin, weil der Engel Elfriede nur ein Mineralwasser bestellen will – wegen der Figur. Nach fünfzehn Uhr, sagt der Engel, nimmt er nichts mehr zu sich.
Christine säbelt lustlos am Kalbsfilet herum, Marita frohlockt über die Qualität ihrer Melone, und Berti klagt, daß er überm Fischbestellen ganz die Vorspeise vergessen hat.
Christines Stoffserviette fällt vom Tisch. Christine bückt sich

und sieht, daß Berti Händchen hält. Ein Händchen mit dem Engel, eines mit Marita. Das Händchen von Marita allerdings muß er immer loslassen, wenn Marita mit dem Händchen nach dem Weinglas greift. Aber kaum hat sie einen Schluck getrunken, sinkt das Händchen wieder unter die Tischplatte und wird von Bertis Hand innig gedrückt. Fasziniert begutachtet Christine das und richtet sich erst wieder erstaunt auf, als Marita abrupt Berti das Händchen entzieht und hämisch sagt: »Na, wo trifft sich die vornehme Welt? Na? Es scheint, langsam werden wir komplett!«
Ein paar Schritte vom Tisch entfernt steht Christian und schaut sich suchend um. Wen er auch immer gesucht haben mag, Christine und Marita zusammen an einem Tisch hat er anscheinend nicht erwartet.
»Christerl, Christerl!« ruft Berti und winkt.
Für einen kurzen Augenblick hat es den Anschein, als wolle Christian die Flucht ergreifen, doch dann kommt er zögernd zum Tisch her.
»Wir bedürfen dringend eines Zweit-Mannes.« Berti grinst von einem schönen Ohr bis zum anderen.
Christian verbeugt sich vor der Puzzi-Tante und kriegt die Patschhand überreicht.
Berti sagt: »Das ist unser aller liebe Puzzi-Tante!«
Zwei Stühle sind noch frei. Der eine steht zwischen Marita und Christine. Der andere zwischen Christine und der Puzzi-Tante. Berti deutet auf den Engel und stellt vor: »Meine Jugendfreundin Elfriede!«, deutet auf Marita: »Meine liebe Braut!«, deutet auf Christine: »Meine allerliebste Schwester kennst du ja!«
Marita räumt den Stuhl zwischen sich und Christine von ihrer Handtasche und ihrem Umhängetuch frei, aber Christian entschließt sich für den Stuhl zwischen Christine und der Puzzi-Tante. Die Alte überfällt ihn mit einem italienischen Wortschwall, ist glücklich, daß sie italienische Antworten bekommt, und deckt Christian mit neuen Wortkaskaden zu.

»Der wird die Alte heut nimmer los«, sagt Berti, und der Engel flüstert: »Nicht, Berti, soviel Deutsch versteht die schon!«
Christine schiebt den Teller mit dem halbgegessenen Steak von sich weg. Keinen Bissen mehr kriegt sie runter. Sie lehnt sich zurück und schaut nach oben, ins Oleanderlaub. Sie will nicht zu Marita hinsehen. Sie vermutet, daß aus Marita wieder eine Feindin geworden ist. Hätte sich Christian auf den Stuhl gesetzt, von dem Marita so bereitwillig ihre Sachen geräumt hat, wäre die Lage – bis auf weiteres – unentschieden geblieben. Dann hätte Christian, Berti-like, auch nach zwei Seiten Händchen halten können. Pfui Spinne, denkt Christine, pfui Spinne, das ist ein Verein!
Der Karajan kommt zum Tisch und erkundigt sich, ob die Puzzi-Tante »bereits gewählt habe«. Hat die Puzzi-Tante noch nicht. Sie muß erst mit dem Karajan die Qualität der diversen Fleischsorten besprechen. Sie läßt also den Hemdknopf, an dem sie Christian festgehalten hat, los und verströmt ihre Wortfülle über den Karajan.
Christian stöhnt auf, als hätte man ihm endlich das eingestürzte Einfamilienhaus von den Gliedern geschaufelt. Er lehnt sich zurück, ist ganz nahe an Christine, sagt leise: »Ach, mein Mariechen! Stundenlang hab ich nach dir gesucht! Wo warst du denn?«
Kann man, fragt sich Christine, durch den Klang einer Stimme glücklich werden? Kann man, wegen einer Stimme, darauf vergessen, wie sich ein Mädchen namens Marita gerade fühlt? Wie ein kontaktlinsenloser Hasi durch die Gegend irrt? Wie einem sämtliche Maßstäbe für Moral und Anstand abhanden kommen? Man kann das. Aber es ist nicht richtig, entscheidet Christine. Sie rückt ein winziges Stück von Christian weg und sagt: »Zuerst hab ich zwei Stunden auf dich gewartet, dann hat mich ein Idiot verfolgt, dann bin ich zum Berti gelaufen, und dann haben wir beschlossen, daß wir mit deiner Marita essen gehen.«

»Sie ist nicht *meine* Marita«, sagt Christian. Hinterher seufzt er.
Die Puzzi-Tante hat sich unter Mithilfe vom Karajan zu einer ausführlichen Speisenfolge entschlossen. Zufrieden enteilt der Karajan. Die Puzzi-Tante rügt den Engel Elfriede noch einmal, weil der Engel hartnäckig jede Nahrungsaufnahme außer Mineralwasser ablehnt, dann wendet sie sich wieder an Christian, faßt ihn am Hemdknopf, zieht ihn zu sich und will wissen, wieso er so gut Italienisch kann. Christian steht der Alten Rede und Antwort, bis der Sängerknabe mit der Gemüsesuppe kommt. Die Puzzi-Tante salzt und pfeffert – ohne vorher zu kosten – die Suppe, bröckelt Weißbrot hinein, rührt um, wartet, daß das Weißbrot quillt, und löffelt dann hurtig.
Christian lehnt sich wieder zu Christine. Er flüstert: »Mariechen, gehn wir doch weg! Wir gehören nicht hierher.«
»Wohin?« fragt Christine.
»Irgendwohin«, murmelt Christian, »wo es niemanden gibt außer uns zwei!«
Ungeheuer nach schlechtem Film klingt das, stellt Christine beklommen fest. Nach verkitschtem Liebesfilm. Doch die nähere Erläuterung zum Weggehen, die ihr Christian zuflüstert, die paßt schon eher wieder zu einem Krimi: Das Mariechen soll aufstehen, so tun, als ob sie dem Klo zustrebe, vor den Klotüren aber scharf nach rechts abbiegen und das kleine Restaurantmäuerchen überklettern und zum Strand hinuntergehen. Christian wird ihr dann auf einem ähnlich sonderbaren Weg ein paar Minuten später nachkommen.
Christine fragt leise: »Warum denn so umständlich, Christian? Wir können doch auch so gehen, sagen einfach ›gute Nacht‹ und verabschieden uns!« Christine ist unheimlich neugierig auf Christians Antwort. Aber Christian kommt zu keiner Antwort. Marita lümmelt sich mit beiden Ellbogen auf den Tisch. Sie scheint ziemlich betrunken zu sein. Sie sagt: »Du, Christerl ...« Sie wiederholt: »Du, Christerl!«

Christian reagiert nicht darauf.
Marita schreit: »Christerl, herhören! Hör sofort her!«
Die Puzzi-Tante läßt den Suppenlöffel in den aufgeweichten Brotbrocken stecken und schaut sehr interessiert zwischen Marita und Christian hin und her.
Berti legt einen Arm um Maritas Schultern. Marita macht sich mit einem Ruck los, sagt zu Christian: »Ich bin müd! Bring mich heim!«
Christian beugt sich vor, holt die Autoschlüssel aus der Hosentasche und wirft sie Marita zu. Marita fängt die Schlüssel auf, wirft sie wieder zurück. »Ich will, daß du mich nach Hause bringst«, schreit sie. »Und zwar sofort! Ich möcht nämlich mit dir schlafen!«
Die Puzzi-Tante verlangt von Engel Elfriede eine Übersetzung. Der Engel übersetzt eine keusch redigierte Fassung, in der nur von Müdigkeit die Rede ist.
»Heute bin nämlich ich wieder einmal an der Reihe«, kreischt Marita. Sie zeigt auf Christine. »Heut hat das Kinderl Ruhetag!«
Berti legt wieder seinen Arm um Maritas Schultern, traurig sagt er: »Jetzt halt aber sofort die Pappen, du Idiotin, du!«
Marita ist tatsächlich still und lehnt ihren Kopf an Bertis Schulter. Man kann annehmen, daß sie weint. Die Puzzi-Tante erheischt eine Übersetzung des Vorfalls. Engel Elfriede zuckt ratlos mit den Schultern. Indigniert löffelt die Puzzi-Tante den Suppenteller leer. Berti tätschelt auf Maritas Kopf herum. Christian seufzt. Christine bekommt plötzlich ein merkwürdiges Gefühl. Vielleicht kommt es vom schnell getrunkenen Grappa. Vielleicht kommt es von den vielen Schlucken Wein. Der Tisch, samt Berti, Marita, Christian, Engel und Tante wandert weg. Christine bleibt unter dem Oleander sitzen. Die fünf Menschen beim Tisch merken nichts davon, seufzen, tätscheln, löffeln weiter, obwohl zwischen ihnen und Christine schon ein autostraßenbreiter Abstand ist. Christine ver-

schränkt die Arme über der Brust und wartet, daß der Tisch wieder näherkommt. Der Tisch wandert noch weiter weg. Die Leute beim Tisch reden miteinander, aber Christine versteht sie nicht. Jemand greift nach Christines Ellbogen. Jemand sagt zu Christine: »Komm, Marie, geh weg, geh schon.« Die Stimme klingt ganz genauso wie Christians Stimme. Aber Christian sitzt weit weg, beim abgewanderten Tisch. Er kann nicht mit ihr reden. Christine steht auf. Sie geht nicht auf die Klotüren zu. Zwischen den Klotüren und ihr ist ja der Tisch. Christine geht auf demselben Weg, auf dem sie hereingekommen ist, wieder aus dem Restaurant-Garten heraus. Der Sängerknabe steht beim Eingang und macht einen Bückling vor ihr. Christine geht die Straße entlang, viele Menschen sind unterwegs, Christine hält den Kopf gesenkt, sie weint, sie will nicht, daß jemand ihr verheultes Gesicht sieht.
Auf dem Hauptplatz, beim Brunnen, sitzt ungefähr ein Dutzend junger Leute. Sie haben eine große Weinflasche und reichen die Flasche im Kreis herum. Einer ißt Wurst aus einem Papierl. Einer schläft, an ein Mädchen gelehnt. Christine spürt, daß sie sehr müde ist. Sie würde sich gern zu denen setzen. Wahrscheinlich würde die das nicht stören. Trotzdem geht Christine am Brunnen und an den Leuten vorbei. Einer ruft etwas hinter ihr her. Christine versteht die Sprache nicht, aber sie dreht sich um und lächelt. Der, der gerufen hat, winkt ihr. Christine zieht Rotz und Tränen durch die Nase hoch, winkt zurück, will weitergehen und sieht – etwas verschwommen von den Tränen in ihren Augen – hinter dem Brunnen, hinter den jungen Leuten, eine unheimlich dicke Frau, eine Frau, die glatt der Zwilling *der* Frau sein könnte. Der mütterliche Zwilling hat ein blaues Seidenkleid an und schreit auf einmal »Christine, Christine« und watschelt erregt, mit beiden Armen fuchtelnd, auf Christine zu. Die jungen Leute beim Brunnen lachen laut und rufen auch: »Christine, Christine!«
Christine steht gelähmt-stocksteif und läßt die Frau heran-

kommen. Es muß ein Irrtum sein! Die Frau kann nicht hier sein!
Die Frau steht keuchend und seufzend dicht vor Christine. Und dann schnattert sie los. Christine kapiert überhaupt nichts. Die Hasi-Mama, sagt die Frau, hat angerufen. Die Hasi-Mama hat gesagt, daß der Hasi und Christine in Griechenland sein sollten, daß sie aber gar nicht dort sind. Und daß Christine und Berti so gemein zum Hasi sind. Die Frau sagt, daß Klein-Siegfried ganz verwirrt war. Weil Klein-Siegfried überhaupt nicht verstanden hat, wieso seine Tochter in Griechenland sein sollte. Die Frau sagt, daß die Hasi-Mama dem Klein-Siegfried die Sache auch nicht hat erklären können, weil sie selber so verwirrt war, weil ihr Sohn nicht in Griechenland ist. »Ach, Kind, ach, Kind«, stöhnt die Frau, »das war eine Aufregung, so eine Aufregung, das kannst du dir nicht vorstellen, ich hab gedacht, mich trifft der Herzschlag!«
Christine fühlt sich zu keiner Antwort fähig. Die Frau sagt: »Jetzt ist dein Vater mit der Hasi-Mama auf der Polizei! Aber dort reden die nur italienisch.«
»Was will er denn auf der Polizei?« fragt Christine.
Die Frau erklärt sich – stehend – zu keiner weiteren Auskunft bereit. Das schafft sie nicht. Es ist zu heiß hier. Sie hat eine anstrengende Autofahrt hinter sich. Sie hat Durst. Sie hat Hunger. Ihr dicker Leib verlangt nach einem Sessel.
Christine geht mit der Frau zu einer kleinen Bar im hintersten Winkel des Platzes. Die Frau plumpst in den mit Plastikschnur bespannten Klappstuhl, so daß Christine meint, die Schnüre würden unter den hundertundneun Kilos platzen. Sie irrt, die Plastikschnüre widerstehen dem Hintern der Frau. Aber sie dehnen sich enorm aus. Wie auf einem Topf sitzt die Frau im Sessel.
»Unbequem ist das hier!« jammert die Frau.
»Sollen wir da rüber gehen?« Christine zeigt auf ein Lokal gegenüber.

Die Frau schüttelt den Kopf. »Keinen Schritt mach ich mehr«, erklärt sie mit fester Stimme und wischt sich Schweißtropfen von der Stirn. Dann bestellt sie bei einem erschrockenen Fräulein Kaffee und Mineralwasser, Campari und Grappa, Eis mit Früchten und Kuchen.
Der Kuchen ist in Plastik verpackt. Gierig grapscht die Frau nach dem Kuchen, und für einen winzigen Augenblick befürchtet Christine, die Frau werde den Kuchen samt der Plastikfolie in den Mund stopfen.
»Wie ein Narr ist er hergefahren, keine Rast hat er eingelegt«, stöhnt die Frau und fetzt die Folie vom dicken Kuchenstück. »Noch eins, bitte!« sagt sie zum verschreckten Fräulein. Das verschreckte Fräulein kapiert nicht. Kann nicht glauben, daß eine Frau, die den ersten Kuchen noch nicht angebissen hat, schon einen zweiten bestellt. Die Frau nimmt den Kuchen, hält ihn hoch und sagt: »Ja, ja, noch einen!«
Das verschreckte Fräulein sagt: »Ist ganz frisch!« Anscheinend meint sie, die dicke Frau will sich über den Kuchen beschweren.
»Ja, ja«, sagt die Frau, »bringen Sie noch einen!«
Christine hält das nicht aus. Sie steht auf und geht zur Theke. Dort ist ein riesiges Tablett voll Plastik-Kuchen. Sie nimmt das Tablett und trägt es zur Frau.
»Gut gemacht, Kindchen«, sagt die Frau, »danke schön!«
Das verschreckte Fräulein begreift staunend und verschwindet grinsend in einem Hinterzimmer. Vorher zählt es aber noch die Kuchenstücke auf dem Tablett ab.
Während die Frau trinkt und Folien entfernt und mampft und trinkt und mampft, erfährt Christine langsam, was sich zu Hause begeben hat: Die Hasi-Mama hat einen verzweifelten Anruf von ihrem Hasi bekommen, aus dem hervorgegangen ist, daß das Hasi nicht mit Christine in Griechenland ist, sondern mit Christine und Berti in Italien. Und daß er die Kontaktlinsen verloren hat. Und daß er des Lebens überdrüssig ist.

Aber bevor ihn die verstörte Hasi-Mama nach der genauen Adresse hat fragen können, war das Gespräch unterbrochen. So hat die Hasi-Mama beim Dr. Hammer angerufen. Der Dr. Hammer hat erklärt, natürlich ist seine Tochter mit seinem Sohn in Italien. Aber da ist sicher kein Hasi dabei! Ganz gewiß nicht! Davon wüßte er etwas. Dagegen hätte er auch etwas unternommen. Er ist nicht daran interessiert, daß seine minderjährige Tochter mit jungen Männern unterwegs ist. Ganz im Gegenteil: Heilige Eide hat er seinen Sohn schwören lassen, daß er die Schwester vor jungen Männern behütet. Da sich aber der Ort, aus dem Hasi angerufen hat, mit dem Ort, aus dem Berti den Vater angerufen hatte, als identisch erwies, wurde Klein-Siegfried nervös. Und wenn Klein-Siegfried irgend etwas nicht erträgt, dann ist es hilflose Ungewißheit.

»Ja, ich hab ihm ja immer und immer wieder gesagt«, stöhnt die Frau, »daß Berti ohnehin in den nächsten Tagen anrufen wird. Aber er hat ja nicht auf mich gehört. Absolut nicht auf mich gehört.«

Die Frau hat den vierten Kuchen in der Arbeit. Sie kaut und mampft schon langsamer. Sie sagt: »Und dann hat er beschlossen, nach dem Rechten zu sehen. Und die Mama vom Hasi wollte den Hasi heimholen. Und mich wollte der Papa ja nach Rogarska Slatina bringen. Da ist das nur ein kleiner Umweg, hat er gesagt.« Die Frau wackelt mit den Ohren. Tränen steigen ihr in die Augen. »Dabei muß ich mindestens sieben Stunden länger im Wagen hocken.« Die Frau legt den fünften Kuchen weg und schneuzt sich. »Aber auf meinen Blutdruck nimmt er ja keine Rücksicht!«

»Und was ist jetzt?« fragt Christine.

Die Frau starrt vor sich hin, pickt Kuchenbrösel vom Tisch und schnauft. Zuckt mit den fetten Schultern.

»Und was ist jetzt?« wiederholt Christine.

Die Frau sagt zögernd: »Geh am besten zur Polizei. Dort werden sie ja noch sein.«

Christine will nicht zur Polizei gehen. Christine will den kleinen Siegfried nicht sehen. Und die Hasi-Mama auch nicht. Christine erhebt sich zögernd. Die Frau sagt: »Wo ist denn der Berti? Schick ihn her zu mir. Wir müssen uns was überlegen, damit er keine Schwierigkeiten bekommt!«
Fein, daß Berti keine Schwierigkeiten mit Klein-Siegfried bekommen soll! Lieb von der Frau! Christine dreht sich um, will weggehen.
Die Frau ruft: »Kind, ich hab kein Geld!«
»Ich auch nicht!« sagt Christine, schert sich nicht um das Gejammer der Frau und rennt über den Platz, dem Golfo dei Poeti zu.
Die jungen Leute beim Brunnen winken und rufen »Christine, Christine« hinter ihr her.
Im Gasthausgarten, unter dem Oleander, sitzt Berti allein beim Tisch. Neben ihm, auf dem weißen Tischtuch, liegen Rechnung und Wechselgeld. Und vor ihm steht eine Flasche Wein. Berti starrt düster vor sich hin. Er bemerkt Christine erst, als sie sich zu ihm setzt, murmelt dann: »Ach, Mädchen, ach, Mädchen, alle sind sie weg!«
»Hör zu«, sagt Christine, »die Scheiße ist am Dampfen!«
»Jawohl, mein Mädchen«, murmelt Berti. »Der Christerl ist nach dir suchen gegangen. Die Marita will sich ins Meer stürzen, und der Engel schläft mit der Puzzi-Tante im Doppelbett!«
Christine packt den Knaben Bruder an der Schulter. »Und die Frau frißt in der kleinen Bar am Platz den sechsten Kuchen. Und Klein-Siegfried und die Hasi-Mama erkundigen sich auf der Polizei nach unserer Adresse!«
Knabe Bruder schaut Christine an und schüttelt den Kopf. »Nein«, murmelt er, »nein, nein! Nicht den Verstand verlieren, Mädchen, nur nicht den Verstand verlieren!«
Christine beteuert, den Verstand nicht verloren zu haben, beteuert, daß auch der letzte Tropfen Grappa und Frascati aus

ihrem Blut gewichen ist, als sie die Frau hinter dem Brunnen entdeckt hat. Christine klärt Knaben Bruder, soweit sie kann, auf. Knabe Bruder flucht, flucht so erbittert, daß ein Ehepaar am Nachbartisch erstaunt herschaut.
»Was tun wir denn jetzt?« jammert Christine.
»An allem ist dein blöder Plan schuld, dein gottverdammt idiotischer Trottelplan«, klagt Berti.
Christine weist darauf hin, daß jetzt nicht der Augenblick ist, die Schuldfrage zu erörtern. Berti sieht das ein, sagt: »Jetzt kann uns nur mehr der Hasemann retten, ehrlich, das ist die einzige Möglichkeit, Mädchen! Wir gehen zum Hasemann!«
Christine will nicht zum Hasemann. Christine weigert sich.
Berti zieht sie vom Sessel hoch, faucht: »Komm schon, du Idiotin!« und zieht sie hinter sich her. Berti geht schnell. Berti rennt. Christine, an seiner Hand, stolpert ihm nach, fragt immer wieder: »Was soll denn der Hasi tun, was kann denn der Hasi für uns machen? Nix, gar nix kann er tun!«
Berti antwortet stur: »Das wirst schon sehen! Bet nur, daß er zu Hause ist!«
Johannes Haselmeier ist zu Hause. Er sitzt vor seiner Wohnungstür, im Dunklen. Dort, wo vor ein paar Tagen der murmelspuckende Bub gehockt ist, sitzt er. Berti und Christine sehen ihn schon von weitem. »Mädchen«, sagt Berti, »jetzt wirst du aber sehr lieb zu ihm sein, garantierst du mir das?«
»Nein«, ruft Christine, »absolut nicht!«
Berti packt Christine fest an der Hand, so fest, daß es weh tut. »Willst du, daß Klein-Siegfried durchdreht«, fragt er. »Willst du, daß er den wilden Patriarchen spielt? Und mir vielleicht noch das Geld streicht?« Berti bleibt stehen. »Wenn Klein-Siegfried die ganze Wahrheit erfährt – ich sag dir, der hat den Nerv und steckt dich in ein Internat! So eine Möglichkeit ist in seinem antiquierten Hirn immer noch drinnen. Dann braucht er wenigstens nicht mehr auf Familie zu spielen.« Berti beobachtet Christines Gesicht aufmerksam. Erleichtert merkt er,

daß Christine betroffen schaut. »Dann komm, Mädchen«, sagt er, »schließlich hast du uns die Sache eingebrockt, jetzt löffel sie wieder aus!«
Berti zieht Christine weiter. Berti sagt: »Du bist nämlich die einzige, die den Hasen soweit bringen kann, daß er uns hilft!«
»Was soll er denn tun?« Christine stemmt sich wie ein unwilliger Esel gegen das Gezogenwerden. Berti muß wieder stehenbleiben. »Der kleine Depp muß bezeugen«, sagt er seufzend, »daß er seine Mama angelogen hat, daß er nur aus Angeberei erzählt hat, daß du mit ihm nach Griechenland fährst. Wir haben keine Ahnung gehabt. Wir wollten ihn nur zur Autobahn bringen!«
»Und dann?«
»Dann haben wir ihn bis über die Grenze mitgenommen, weil er von Venedig aus mit dem Schiff wollte!«
»Und dann?«
»Dann ist er plötzlich hier aufgetaucht, weil er sich allein doch nicht nach Griechenland getraut hat!« Berti grinst.
»Schließlich können wir ihm ja nicht verwehren, hier Urlaub zu machen, oder?«
Christine bezweifelt, daß irgendwer diese Geschichte glaubt. Christine bezweifelt noch mehr, daß Hasi diese Geschichte erzählen wird.
Berti und Christine sind nur mehr ein paar Meter von Hasi entfernt. »Bleib da stehen«, sagt Berti. »Zuerst red ich mit ihm!«
Christine lehnt sich an die Hauswand. Hasi erkennt Berti erst, als der vor ihm steht. Er rückt auf dem steinernen Türstaffel ein wenig zur Seite und bietet Berti Platz an. Berti setzt sich zu ihm. Christine hört nicht jedes Wort, das Berti sagt, hört nur: »Wie konntest du denn daheim anrufen? ... Was hast du dir denn dabei gedacht?... Oder wolltest du uns absichtlich in die Rue de Gack bringen? ... Das fänd ich gemein!« Dann redet Berti lang und leise auf Hasi ein. Und schließlich schreit Hasi:

»Leckt's mich doch am Arsch! Kommt doch nicht in Frage! Wegen euch stell ich mich doch nicht als Volltrottel hin! Was geht denn das mich an? Ihr schert euch ja auch nicht um mich!« Berti wird ebenfalls laut. »Moment, Hasemann«, sagt er, »ich hab mich ganz schön um dich gekümmert! Wenn ich nicht gewesen wär, wärst vielleicht schon eine Wasserleiche! Ich hab gedacht, wir sind Freunde geworden?«
»Gegen dich hab ich ja nichts«, sagt Hasi, »gegen dich nicht ...«
»Dann tu's eben für mich!« fordert Berti und entwirft dem Hasemann seine grauenhafte Zukunft ohne Vaterliebe, ohne mütterliches Heim, ohne monatliche Zuwendung, und besteht darauf, daß nur Hasemann diese schreckliche Zukunft von ihm abwenden kann.
Hasi bricht unter der Last der Verantwortung nicht zusammen, den Hasi richtet die Verantwortung auf. Zusammengesunkenes Hasi bläht sich, wächst, erhebt sich, seufzt und spricht: »Na schön, meinetwegen! Weil du mein Freund geworden bist!« Berti strahlt.
Hasi meint: »Aber meiner Mama sag ich die Wahrheit!«
»Wenn sie den Mund hält, hab ich nichts dagegen«, erklärt Berti. Er winkt in Richtung Christine. Sie soll herkommen! Christine zögert. Berti ruft ihr zu: »So komm doch schon!« Ungeduldig und autoritär klingt das. Christine geht langsam auf Berti zu, der schiebt sie zu Hasi hin und sagt: »So! Und jetzt lauf ich runter und such die versammelten Alten zusammen!«
»Und wie geht's dann weiter?« fragt Hasi.
Berti erklärt, das müsse der Augenblick weisen, das werde man schon sehen, aber auf alle Fälle möge Christine ihr ganzes Gepäck in die obere Wohnung tragen. Ist doch klar, daß sie mit dem Bruder zusammen ein Doppelbett beschläft! »Beeilt euch!« ruft Berti und rennt die Treppengasse hinunter.
Christine und Hasi stehen einander gegenüber. Es läßt sich nicht mehr vermeiden, daß Christine den Hasi anschaut. Sie

muß auch irgend etwas sagen, also fragt sie: »Bist mir böse, Hasi?«
Hasi schaut in Richtung Burg zum Zinnenturm, zur Herbergsfahne hinauf, als ob sich dort ungeheuer Interessantes begäbe, sagt zur wehenden Fahne hin: »Du mußt gar nicht so tun, ich mach eh alles, was ihr von mir wollt, ehrlich, du kannst dich auf mich verlassen!«
»Danke«, murmelt Christine. Es klingt so beiläufig, so nebenbei, als hätte ihr Hasi gerade seinen Sitzplatz in der Straßenbahn angeboten. Christine bemerkt es und versucht es noch einmal: »Danke schön, Hasi!« Diesmal klingt es echter, dankbarer und freundlicher, und Hasi ist gerührt. Er legt einen Arm um Christines Schultern. Christine wartet darauf, daß ihr dieser Arm unangenehm wird, unerträglich, daß ihr vor dem Arm ekelt, daß ihr gar nichts anderes übrig bleibt, als diesen Arm von den Schultern zu schütteln, aber kein unangenehmes, unerträgliches Ekelgefühl stellt sich ein. Also lehnt sich Christine an Hasi, ganz fest lehnt sie sich an ihn, den Kopf lehnt sie an seine Brust, zu weinen fängt sie an. »Ach, Hasi, ach, Hasi«, schluchzt sie. »Ich bin ja so gemein, Hasi!«
Hasi streichelt über Christines Haare. Er murmelt irgendwas, Christine versteht es nicht.
»Was sagst du, Hasi?« fragt Christine schluchzend und schnüffelnd.
Hasi murmelt wieder Unverständliches.
»Wie bitte?« fragt Christine.
Hasis Gemurmel wird lauter, Hasi krächzt gerührt: »Ich sag, daß ich dich liebe. Ich liebe dich immer noch, Christine!« Der tief menschliche Inhalt seiner Worte und ihre verzeihende Grundstimmung rühren Hasi, gehen ihm ans Herz und Gemüt. Nun weint er auch. Dicke, große Tränen weint er in Christines Haare hinein.
Beklommen spürt Christine die Tränennässe auf der Kopfhaut. »Nicht weinen, Hasi, bitte nicht weinen«, schnüffelt sie heu-

lend. Tränenrotz verstopft ihr die Nase, rinnt ihr über die Oberlippe. »Taschentuch bitte!« fordert sie. Hasi hat kein Taschentuch. Oder will nach keinem Taschentuch suchen. Und wenn er eins hätte und wenn er nach einem suchen würde, hätte er es selber nötig. Christine reibt die Nase an Hasis kariertem Hemd trocken. Hasi nimmt es beglückt als Versuch zur Zärtlichkeit hin. Er fragt: »Magst du mich noch?« Natürlich mag Christine den Hasi. Sie hat ihn doch immer mögen. Warum sollte sie ihn nicht mögen? Christine nickt also. »Und der andere?« fragt Hasi.
»Das ist aus!« sagt Christine und schneuzt sich in Hasis karierte Hemdbrust.
»Aus, ehrlich aus?« Soweit eine schluchzende Stimme jubeln kann, jubelt Hasis Stimme. Fest zieht Hasi Christine an sich. Christine kann kaum mehr atmen. »Dann ist ja alles wieder in Ordnung!« jubiliert Hasi und preßt Christine noch fester an sich, schnauft: »Ich bin ja so glücklich!«
Christine versucht krampfhaft und heldenhaft – mit plattgedrückter Nase und halboffenem, hemdverstopften Mund – an Hasis Brust auszuharren. Sie will Hasi nicht schon wieder kränken. Sie kennt ihr Hasi. Schlägt sie jetzt um sich und befreit sie sich gewaltsam aus der Umarmung, meint Hasi doch gleich wieder, sie mag ihn nicht! Um jede Panik zu vermeiden, zählt Christine in Gedanken. Zählt von einundzwanzig an bis zweiunddreißig, sagt sich, daß sie jetzt gleich ersticken wird, daß man nicht länger als elf Sekunden ohne Luft sein kann. Christine kommt bis vierundvierzig, dann lockert Hasi seinen festen, glücklichen Griff. Er sagt: »So, jetzt trag ich deine Sachen zum Berti rauf!«
Christine will dem Hasi Sachen tragen helfen. Hasi lehnt ab. Hasi will etwas für Christine tun. Hasi hat gelernt, zu Haus bei der Mama, daß man den Mädchen Sachen tragen muß und Feuer geben muß und Kino zahlen muß. Da kennt sich Hasi aus. Er sagt lächelnd und bestimmt: »Nein, nein, das ist meine

Sache!« Und dann geht er in die Wohnung hinein und kommt mit einem wilden Haufen aus Hosen, Schuhen, Kleidern und anderem Kram zurück und wankt damit die Eisentreppe zur Terrasse hinauf.
Christine fühlt sich unheimlich müde. Sie setzt sich aufs Pflaster, sitzt genau dort, wo untertags der kleine Bub mit den Murmeln hockt, murmelt »Pfui Spinne« und starrt vor sich hin.
Hasi ruft von der Terrasse herunter: »Die Tür ist ja versperrt!«
Na klar ist die Tür versperrt! Ordnungsliebender Berti läßt doch seine Wohnung nicht unverschlossen. Und aufgeregter Berti denkt doch nicht daran, daß er Hasemann den Schlüssel aushändigen muß.
Hasi beugt sich über das Terrassengeländer, ruft: »Aber ich mach das schon!« und verschwindet wieder. Christine überlegt, was Hasi denn machen will. Will er vielleicht die Tür aufbrechen? Das soll er lieber bleiben lassen! Seufzend steht sie auf und geht zur Eisentreppe und steigt hinauf, steigt bis zur halben Höhe und sieht den Hasi, wie er Kleidungsstück um Kleidungsstück, Schuh um Schuh und Unterhose um Unterhose gezielt zum winzigen Badezimmerfenster hineinwirft. Dann dreht sich Hasi um, sieht Christine, sagt: »Bring mir den Rest!«
Christine nickt, steigt die Treppe wieder hinunter. Hasi kommt ihr nach. Christine geht in die untere Wohnung, schaut sich um, sieht ihre Waschsachen, sieht ihren Bademantel, greift danach, bückt sich, sucht unter dem Bett nach Schlapfen – die müßten noch da sein, ja, die sind da –, sie angelt nach den rosa Dingern, kriegt sie zu fassen, richtet sich auf und steht dicht vor Hasi. Hasi hat den Blick, den er immer hat, wenn er geküßt werden will. Hasi hat sich auch einen Kuß verdient. Christine hebt beide Arme, legt sie um Hasis Hals. Ihr Herz klopft heftig. Sie hat Angst vor dem Kuß. Sie hat Angst vor dem Widerwillen, der sie vielleicht während des Küssens überkommen könnte. Sie schließt die Augen und wartet.

Hasi murmelt: »Später, Christine, später.« Er küßt sie zart auf die Nasenspitze und schlüpft dann unter ihren Händen weg. »Jetzt«, sagt er, »müssen wir die Wohnung räumen!«
Hasi nimmt den Auszug genau. Sogar die Haarklammern holt er aus der Dusche raus. Und den Steckkamm vom Nachtkastel. Dabei pfeift er »Fuchs, du hast die Gans gestohlen«.
Christine gibt ihm den Bademantel und die Schlapfen, Hasi wieselt aus der Wohnung. Christine legt sich auf das Bett, auf die Quasteldecke und wartet auf Hasis Rückkehr und beißt dabei an ihren Nägeln herum.
Hasi kehrt zurück, betrachtet Christine, kommt näher zum Bett, so nahe, daß seine kurzsichtigen Augen Christine genau sehen können, schüttelt den Kopf und sagt: »Nagelbeißen ist *meine* Untugend!«
Christine nimmt die Nägel aus dem Mund und lächelt ihm zu. »Wie geht's denn weiter?« fragt sie.
»Jetzt gehen wir in den Ort und suchen die Alten«, sagt Hasi. Grinsend macht er einen Bückling. »Und ich leg denen einen Trottel hin, einen psychisch gestörten Idioten, daß es eine Freud sein wird!«
Hasi zieht Christine vom Bett hoch.
»Ich hab Angst vor meinem Alten«, sagt Christine. »Kann ich nicht dableiben?«
Hasi schüttelt den Kopf, Hasi sagt, daß Christine keine Angst haben muß, daß niemand, der von Hasi geliebt wird, Angst haben muß, daß Hasi alles in Ordnung bringt, daß Hasi jeder Schwierigkeit gewachsen ist. Christine nickt und läßt sich bis zur Tür ziehen. Dort fragt sie: »Sollen wir nicht lieber noch warten?« Und: »Wir werden sie ja gar nicht finden. Überall sind doch so viele Leute!«
Hasi erklärt Christine, daß der Ort so klein ist, daß man da jeden findet. »Und so ein Riesenstück von Frau wie deine Frau, die seh sogar ich – ohne Brille!« Hasi lacht. Christine lacht auch. »Du brauchst ja den Mund gar nicht aufmachen«, baut

Hasi auf, »ich leg den Trottel schon hin! Und der Berti hilft mir!« Hasi schiebt Christine aus der Wohnung, sperrt die Tür ab, sagt zufrieden: »Und der Berti – der mag mich jetzt auch. Wir sind uns sehr nahe gekommen. Er ist wirklich in Ordnung.« Christine nickt, gibt Hasi die Hand und wandert mit ihm die Treppengasse dem Ort zu. »Hauptsache, du magst mich wieder«, sagt Hasi. »Alles andere ist wurscht!«
Christine widerspricht nicht.

14. Juli

Unter einem blitzblauen Himmel ohne Wolken, im heißen, grauen Sand, liegen dicht nebeneinander Berti, Christine und Hasi. Sie liegen auf dem Bauch und haben die Augen geschlossen. Ölfett glänzen ihre braunen Hinterseiten.
»Wie spät ist es denn?« fragt Hasi.
»Dreißig Grad im Schatten«, murmelt Berti.
»Und wie ist die Temperatur?« fragt Hasi.
»Gegen halb zwei wahrscheinlich«, murmelt Berti.
»Dann sind unsere Alten sicher schon über der Grenze, in Jugoslawien drüben«, sagt Christine zufrieden.
»Und wann dampft deine alte Frau ab?« Berti dreht sich auf den Rücken und stößt Hasi einen Zeigefinger in die Rippen.
Hasi sagt: «Weiß nicht, morgen oder übermorgen, die muß sich erst psychisch wieder sanieren.«
»Sie hat sich ohnehin stramm gehalten«, lobt Berti.
Hasi richtet sich auf, stützt sich auf den Ellbogen ab. »O du Hölle«, stöhnt er, »ich hab ihr ja versprochen, daß ich sie zum Mittagessen abhol!« Hasi sinkt wieder in den Sand zurück.
»Dann steh auf und hol sie ab!« mahnt Berti. »Versetz sie nicht. Sei nett zu ihr! Die ist nämlich schwer in Ordnung. Wenn sie nicht mit verlogenen Engelszungen auf unseren Alten eingere-

det hätt, dann würden wir jetzt gar nimmer hier liegen, verstehst?«

Hasi wälzt sich auf den Rücken. Er macht die Augen auf und blinzelt in die Sonne. »Das war doch ihre Mama-Pflicht«, sagt er. »Schließlich hat sie doch drauf zu schauen, daß ihr Sohn glücklich ist, oder?« Hasi schließt die Augen wieder. Leise kichert er vor sich hin.

»Was ist denn, was hast denn? Ist dir eine Ameise in den Arsch gekrochen, oder wie?« Berti steht auf und wischt Sand von seiner braunen Haut.

»Ich stell mir nur vor, wie eure Alten jetzt im Auto drin sitzen und über mich reden. Und wie sie stolz sind, daß sie selber zwei so ehrenwerte, grundanständige, lebenskluge Kinder haben. Und wie sie meine Mama bedauern, daß die so einen hilflosen, hysterischen Trottel zum Sohn hat!«

Berti sagt: »Das stellst dir aber falsch vor, Hasemann. Unsere Alten reden nämlich kaum miteinander. Und im Auto schon gar nicht. Klein-Siegfried fährt, und die Mama stöhnt. Mehr passiert bei uns im Mercedes nie!«

Lachend rappelt sich Hasi aus dem Sand hoch. »Am spitzigsten war's aber«, sagt er, »wie euer Alter meiner Mama die Hand gereicht hat und ihr versichert hat, daß er mir die Belästigung seiner Tochter verziehen hat!« Hasi tupft mit einem großen Zeh auf Christines Bikini-Hintern. »Komm, steh auf, geh mit, meine Mama wartet!«

Christine grunzt unwillig. Hasi bohrt ihr die Zehe in den Hintern. »So komm schon!« raunzt er. »Du hast geschworen, daß du auf mich aufpaßt! Alle Eide hast du der dicken Frau geschworen!« Hasi kichert wieder und versucht sich in der matten, langsamen Jammerstimme der Frau: »So ein armer Bub, er kann doch nichts dafür, daß er sich in das Kindchen verliebt hat. Das muß man ihm vorsichtig ausreden!«

Hasi kniet sich in den Sand, beugt sich zu Christine. »Red es mir vorsichtig aus!« fordert er und beißt sie in den Schenkel.

»Aua! Du Depp!« brüllt Christine. Sie fährt hoch, mit einer Hand hält sie die gebissene Stelle, mit der anderen schlägt sie auf Hasi ein. Hasi versucht, die schlagende Hand festzuhalten, aber die Hand ist sonnencremeglitschig und läßt sich nicht festhalten. Hasi wirft sich über Christine. »Keine Beinarbeit!« kreischt er. »Treten ist unfair!« Und dann brüllt Hasi laut, weil ihn Christine in die Schulter gebissen hat, und dann kugeln Christine und Hasi als sandstaubende Kugel zum Wasser hinunter.

Berti schaut ihnen mit Stirnrunzeln nach und murmelt milde: »Idiotenkinder! Verdammte Idiotenkinder!« Versonnen und träge beobachtet er, wie die zwei eng umschlungenen Kämpfer ins Wasser rollen, wie sanfte Wellen über ihre Leiber schwappen und wie die beiden trotzdem weiter raufen. Ach-Gottchen-ach-Gottchen, denkt Berti, diese infantile Erotik ist ja kaum auszuhalten. Berti stülpt den winzigen, weißen Sonnenhut auf den Kopf, packt Zeitung, Sonnenöl und Zigaretten in die Strandtasche und stopft das Badetuch drüber. Dann zieht er Hemd und Hose an. Sorgfältig beschwert er Christines Badetuch mit vier großen Steinen, damit es der Wind nicht wegtragen kann, und dann wandert er der Straße zu. Emsig stapft er durch den Sand und überlegt, ob er zu Hause noch genug Zeit zum Duschen und Haarwaschen haben wird. Punkt drei hat Berti, schön gewaschen und hübsch frisiert, im Golfo dei Poeti zu sein. Engel Elfriede erwartet ihn. Der Engel hat sich von der Puzzi-Tante emanzipiert, weil die Puzzi-Tante Durchfall bekommen hat und das Hotelbett hüten muß.

Christian wird auch ins Golfo kommen. Nicht mit Marita. Die ist gestern abgereist. Eine mit langen, schwarzen Zöpfen wird Christian ins Golfo mitbringen. Grüne Augen hat sie angeblich. Und sehr lange Wimpern. Nur die Beine sind etwas zu stämmig. Und ganz sicher, hat Christian geschworen, ist das diesmal die wirkliche, richtige Marie.

Hasi und Christine schwimmen dem großen Felsen zu, der weit draußen im Meer wie ein dicker, gekrümmter Zeigefinger aus dem Wasser ragt. Sie schwimmen um die Wette. Christine ist die bessere Schwimmerin. Wenn sie trotzdem das Wettschwimmen verliert, muß sie mit Hasi und seiner Mama zum Mittagessen gehen.
Hasi gibt sich alle Mühe, schnaufend durchackert er das Wasser und verliert trotzdem.
»Bin schon da, sprach der Igel zum Hasen!« ruft Christine, als Hasi keuchend und prustend beim Zeigefingerfelsen ankommt. Gönnerhaft fügt sie hinzu: »Aber ich geh trotzdem mit! Ich hab sowieso Hunger.«
Christine will wieder zum Ufer zurückschwimmen.
»Wart noch!« Hasi hält sie am Arm fest. Wassertretend und keuchend fragt er: »Sag mir, daß du mich liebst, bitte! Sonst laß ich dich nicht zurückschwimmen!« Hasi grinst, versucht, seine Forderung als heiteren Spaß zu tarnen.
»Komm, sei nicht blöd, deine Mama wartet doch«, weicht Christine aus. »Und zum Optiker um deine Kontaktlinsen müssen wir auch noch!«
Christine schaut Hasi an und merkt, daß da kein Ausweichen und Ausreden hilft, da hilft nur mehr eine klare Antwort; sonst hält sie dieser Depp noch tatsächlich wassertretend und schnaufend stundenlang hier fest. Leise sagt Christine: »Ja, Hasi, ich liebe dich«, und nickt dann heftig ein paarmal hintereinander. Sie nickt sich selbst zu.
Hasi läßt ihren Arm los, hält ihren nickenden Kopf mit beiden Händen fest und küßt sie.
Küsse, aus der wassertretenden Startposition begonnen, enden unausweichlich unter der Wasseroberfläche. Schnaubend und um Atem ringend tauchen Christine und Hasi wieder auf. »Entschuldige«, prustet Hasi, »so geht das nicht! Komm auf den Felsen rauf!«
Hasi klettert auf den Zeigefingerfelsen, seufzend folgt ihm

Christine. Kaum steht Christine auf dem Fingerspitzenfelsen, wird sie von Hasi umarmt und geküßt. Der Kuß dauert lange, ist feucht und heftig und etwas hilflos – so, wie Hasis Küsse eben sind. Unangenehm ist der Kuß nicht. Christine ist um den Kuß freundlich bemüht, nimmt Teil an ihm, genießt ihn sogar, je länger er währt, auf eine freundlich-friedliche Art und denkt dabei, daß es eben etliche Arten von Liebe geben muß und daß es einem nicht erspart bleibt, alle kennenzulernen.

Bücher von Christine Nöstlinger

Andreas oder Die sieben unteren Achtel des Eisbergs
Roman. 208 Seiten, Broschur (80659) *ab 14*
Der Roman einer Familie und zugleich ein Roman über die Suche nach Zuwendung. »Realistisch und unsentimental, spannend, anrührend und nachdenklich machend.« *Brigitte*

Maikäfer, flieg!
Mein Vater, das Kriegsende, Cohn und ich
Roman. 176 Seiten, Pappband (80536) *ab 12*
Im zerbombten Nachkriegs-Wien erlebt ein neunjähriges Mädchen Freundschaft mit dem russischen Soldatenkoch Cohn.
Buxtehuder Bulle

Oh, du Hölle!
Julias Tagebuch
Mit Zeichnungen von Christine Nöstlinger jun.
200 Seiten, Pappband (80165) *ab 12*
Ein Tagebuch höchster Wahrheiten! Die 14jährige Julia hat sie notiert und hat dabei nichts ausgelassen: nicht den Zirkus mit den Eltern und nicht die Schule, vor allem aber nicht die Gefühle für Stefan.

Pfui Spinne!
Roman. 148 Seiten, Broschur (80627) *ab 14*
Um Mütter geht es, um Väter und um eine Ferienreise. Vor allem aber geht es um die Liebe zwischen Hasi und Christine.

Zwei Wochen im Mai
Mein Vater, der Rudi, der Hansi und ich
Roman. 208 Seiten, Pappband (80581), Taschenbuch (78032) *ab 13*
Die Fortsetzung von Maikäfer, flieg!, in der die Christel mit zwölf Jahren den Frieden kennenlernt.

Mädchen und Frauen

Dagmar Chidolue
Lady Punk
Roman. 176 Seiten, Broschur (80658)
Terry ist fünfzehn, sieht aber aus wie siebzehndreiviertel. Sie ist ein Biest und ganz schön verrückt, crazy. Lady Punk. In diesem Sommer will sie wissen, was es mit der Liebe auf sich hat. Aber alles kommt anders als gedacht.
Deutscher Jugendliteraturpreis

Karel Eykman
Liebeskummer
Aus dem Niederländischen von Mirjam Pressler
60 Seiten, Broschur (80662)
Monika erlebt zum ersten Mal, was Liebeskummer ist. Wie sie diesen Schmerz zu überwinden versucht, wird witzig und doch einfühlsam erzählt.
Holländischer Jugendbuchpreis »Goldener Griffel«

Hadley Irwin
Liebste Abby!
Erzählung. Aus dem Amerikanischen von Fred Schmitz
148 Seiten, Broschur (80667)
Abby ist anders als die anderen Mädchen, findet Chip. Deshalb hat er sich auch in sie verliebt. Daß ein schreckliches Geheimnis hinter ihrem Anderssein steckt und Abby dringend Hilfe braucht, erfährt er erst viel später. Ein ehrliches, hilfreiches Buch zum Thema des sexuellen Mißbrauchs und gleichzeitig eine zärtliche, bewegende Liebesgeschichte.
Auswahlliste Deutscher Jugendliteraturpreis

Mirjam Pressler
Bitterschokolade
Roman. 124 Seiten, Broschur (80630), Taschenbuch (78004)
Eva ist dick und davon überzeugt, daß alle über sie lachen. Es ist ein langer Weg, bis sie begreift: Dicksein ist eine Eigenschaft wie viele andere auch.
Oldenburger Jugendbuchpreis

Mehr aus dieser Reihe

Sophie Brandes
Total blauäugig
Roman. 216 Seiten, Broschur (80678)
Marieluise ist vergewaltigt worden. Um mit dem schlimmen Erlebnis fertig zu werden, geht sie als Aupair-Mädchen nach Paris. Hier macht sie neue Erfahrungen, gewinnt Freunde, aber es dauert lange, bis sie sich selbst wieder akzeptieren kann.

Dagmar Chidolue
London, Liebe und all das
Roman. 184 Seiten, Broschur (80682)
Während ihrer Ferien in London verliebt sich Katharina Hals über Kopf in einen Studenten, und es beginnt eine schöne Liebesgeschichte. Eine ganz einfache, wie Katharina meint. Aber zu Hause steht alles kopf. Denn Katharina hat sich in einen Afrikaner verliebt.

Henky Hentschel
Die Hunde im Schatten des Mandelbaumes
84 Seiten, Broschur (80679)
Eine sommerheiße Insel im Mittelmeer, ein altes, einfaches Steinhaus, ein Tisch im Schatten der Korkeiche und ein Mann, der einfache, starke, lustige und traurige Geschichten scheibt. Geschichten über das wilde Leben seiner Hunde . . .
Auswahlliste zum Deutschen Jugendliteraturpreis

Liva Willems
Manchmal bin ich ein Jaguar
Pedros Geschichte. Aus dem Niederländischen von Mirjam Pressler
120 Seiten, Broschur (80671)
Pedro, der Sohn eines indianischen Landarbeiters in Brasilien, schildert die Flucht vor seinen weißen Herren, eine Flucht voller Schrecken und Tod.
Empfehlungsliste Gustav-Heinemann-Friedenspreis